BOYS DON'T CRY

Du même auteur :

Entre chiens et loups
La couleur de la haine
Le choix d'aimer
Le retour de l'aube
La couleur de la peur

Traduit de l'anglais par
Amélie Sarn

Cet ouvrage a été réalisé par les Éditions Milan,
avec la collaboration d'Astrid Dumontet et de Claire Debout.
Mise en pages : Graphicat
Création graphique : Bruno Douin

Titre original : *Boys don't cry*
First published in Great Britain by Doubleday,
an imprint of Random House Children's Books, in 2010.
Copyright © Oneta Malorie Blackman, 2010
Cover photography copyright © Getty images
Published by arrangement with Random House Children's Books
one part of the Random House Group Ltd.

Pour l'édition française :
© 2011, Éditions Milan, pour le texte et l'illustration
300, rue Léon-Joulin, 31101 Toulouse Cedex 9, France
Loi 49-956 du 16 juillet 1949
sur les publications destinées à la jeunesse
ISBN : 978-2-7459-5499-2
www.editionsmilan.com

MALORIE BLACKMAN

BOYS DON'T CRY

MiLAN

Pour Neil et Lizzy,
Avec tout mon amour, comme toujours...

1. Dante

**Bonne chance pour aujourd'hui. J'espère
que tous tes souhaits se réaliseront :-)**

Le téléphone à la main, j'ai souri en lisant le texto que
Colette, ma petite amie, venait de m'envoyer. Mais mon sourire
n'a pas duré longtemps. J'étais trop stressé. Nous étions jeudi,
le jour de mes résultats d'examen. Je ne m'attendais pas à être
aussi nerveux. J'étais sûr et certain d'avoir réussi. Enfin,
presque sûr. Mais ce « presque » faisait toute la différence.
Entre le moment où j'avais rendu mes copies et le moment où
les profs les avaient notées, il avait pu se passer cent mille
choses. L'examinateur pouvait avoir abîmé sa voiture ou s'être
disputé avec son ou sa petite amie – il pouvait s'être passé
n'importe quoi ayant provoqué sa mauvaise humeur et l'ayant
incité à me mettre une sale note. Bon sang ! Un rayon cosmique
pouvait avoir touché mes copies et changé mes bonnes réponses
en mauvaises !

J'ai essayé de me raisonner :

« Ne sois pas bête ! Tu sais que tu as réussi ! »

Je n'avais pas le choix. Je DEVAIS avoir réussi. Il n'y avait
pas d'alternative. Il me fallait les meilleures notes. Ensuite,
je pourrai aller à l'université. Loin d'ici. Et un an avant les autres.

Tu as réussi...

Pensée positive. J'ai tenté de battre le rappel de ma confiance
en moi mais je me suis senti encore plus idiot et j'ai arrêté.
Malgré moi, la voix de Papa résonnait dans ma tête : « Les
occasions sont à chaque coin de rue, mais l'opportunité
ne frappe qu'une fois à ta porte. »

7

Je savais trop bien que mes bonnes notes étaient l'opportunité qui me permettrait de ne plus courir mais de m'envoler. Mon père avait des tas de proverbes de ce genre. Il appelait ça des « leçons de vie ». Pour mon frère Adam et moi, c'était juste des sermons pénibles, entendus des milliers de fois. Mais quand nous essayions de le faire comprendre à Papa, il répondait : « J'ai gâché toutes les chances qui se sont présentées à moi. Je ne laisserai pas mes fils en faire autant. » Autrement dit : « C'est pas demain la veille que j'arrêterai de vous bassiner avec ça ! »

Dante, arrête de flipper. Tu as réussi.

L'université n'était qu'un moyen pour atteindre une fin. Bien sûr, j'avais hâte d'y être, de faire de nouvelles rencontres, d'apprendre de nouvelles choses, de vivre ailleurs et de devenir indépendant. Mais mes réels espoirs se situaient bien au-delà de ça. Dès que j'aurais un bon travail, tout serait différent. Du moins, dès que j'aurais remboursé mon prêt étudiant. Ma famille n'aurait plus à se mettre en quatre pour le moindre penny. Je ne me rappelais même plus la dernière fois où nous étions partis en vacances à l'étranger.

Mes cent pas m'avaient mené près de la fenêtre du salon. Écartant les rideaux en crochet grisâtres, j'ai regardé dans la rue. Ce matin d'août était magnifiquement ensoleillé. Peut-être était-ce un bon présage – enfin, si on croyait aux présages. Officiellement, je n'y croyais pas.

Où était ce fichu facteur ?

Il ne savait pas que mon avenir se trouvait dans son sac ? Bizarre de penser qu'une simple feuille de papier allait changer ma vie.

Il faut que j'aie réussi... il faut que j'aie réussi...

Les mots se cognaient contre les parois de mon crâne comme le refrain d'une chanson trop de fois entendue à la radio.

Jamais de toute ma vie je n'avais désiré quelque chose aussi fort. Sans doute parce que ces notes *étaient* ma vie. Mon avenir dépendait de ces résultats et il fallait qu'ils soient bons. J'ai laissé retomber le rideau et essuyé mes mains poussiéreuses sur mon jean. Comment des rideaux pouvaient-ils être aussi sales et me laisser les doigts aussi collants ? Depuis quand n'avaient-ils pas vu de l'eau ou de la lessive ? En avaient-ils jamais vu d'ailleurs ? Je me rappelais avoir aidé Maman à les accrocher. Quand était-ce ? Il y a au moins neuf ans, je dirais. Quand c'était mon tour de ménage, je passais un coup d'aspirateur dessus, mais avec le temps, ils étaient devenus trop fragiles pour supporter un tel traitement. Papa promettait sans cesse de les laver ou d'en acheter des neufs, mais il oubliait toujours. J'ai jeté un coup d'œil autour de moi en me demandant comment passer le temps. Il fallait que je m'occupe l'esprit, que je me change les idées...

Soudain, la sonnette a retenti. Je me suis précipité à la porte et l'ai ouverte, le cœur battant.

Ce n'était pas le facteur.

C'était Mélanie.

Je l'ai regardée. Il m'a fallu quelques secondes pour remarquer qu'elle n'était pas seule. J'ai fixé le contenu de la poussette à côté d'elle.

– Salut Dante.

Je n'ai pas répondu. J'étais scotché sur le bébé.

– Je... je peux entrer ?

– Euh... oui, oui, bien sûr.

Je me suis écarté. Mélanie s'est avancée avec la poussette. Les sourcils froncés, j'ai refermé la porte derrière elle. Dans le couloir, elle se mordillait la lèvre inférieure en me regardant intensément. On aurait dit une actrice attendant que son partenaire lui donne la réplique. Pourtant, elle savait où était le salon. Elle était déjà venue.

– Je t'en prie, ai-je dit en lui indiquant la porte ouverte.

Je l'ai suivie. Mes pensées s'agitaient comme des abeilles en train de butiner. Que faisait-elle ici ? Je ne l'avais pas vue depuis… au moins un an et demi. Que voulait-elle ?

– Tu fais du baby-sitting ? lui ai-je demandé en désignant la poussette.

– Hmm, on peut dire ça, a-t-elle répondu en regardant les photos de famille que Papa avait posées sur le rebord de la fenêtre de chaque côté du vase en cristal préféré de Maman et partout dans la pièce. Certaines étaient des photos de moi, beaucoup étaient d'Adam et plus encore étaient de Maman. Mais aucune ne datait de l'année précédant sa mort. Papa avait voulu en prendre – il était toujours en train de prendre des photos – mais Maman avait refusé. Et depuis qu'elle était morte, Papa n'avait plus touché son appareil. Les yeux de Mel passaient de photo en photo. Elle étudiait chacune en détail avant de passer à la suivante. Franchement, je ne voyais pas ce qu'elle trouvait de si intéressant à ces clichés. Mais j'en ai profité pour l'observer. Elle n'avait pas changé. Peut-être juste un peu plus mince. Elle portait un jean noir et une veste bleu marine sur un T-shirt bleu pâle. Ses cheveux sombres étaient plus courts que la dernière fois où je l'avais vue. Elle les avait coiffés en pétard. Mais elle était toujours canon avec ses immenses yeux noisette ourlés des plus longs cils du monde. J'ai baissé les yeux vers le petit paquet dans la poussette. Il fixait avec fascination l'ampoule au plafond.

– Comment il s'appelle ?

– *Elle* s'appelle Emma.

Silence.

– Tu veux la prendre ?

– Non ! Enfin, je veux dire, non merci.

Les mots étaient sortis dans la panique. Mélanie était folle ou quoi ? Pourquoi j'aurais voulu porter un bébé ? Et elle n'avait toujours pas dit ce qu'elle faisait ici. Je ne dis pas que j'étais mécontent de la voir, ça faisait juste longtemps. Elle avait quitté le lycée un an et demi plus tôt et je ne l'avais pas revue depuis. À ma connaissance, personne ne l'avait revue.

Et voilà qu'elle était chez moi.

– Je suis allée vivre chez ma tante, a soudain lancé Mélanie comme si elle avait lu dans mes pensées. Je suis venue voir une copine et, en passant devant chez toi, j'ai eu envie de te dire bonjour. J'espère que je ne te dérange pas.

J'ai secoué la tête et me suis forcé à sourire. Bizarrement, je ne me sentais pas très à l'aise.

– Je repars aujourd'hui, a poursuivi Mélanie.

– Tu retournes chez ta tante ? ai-je supposé.

– Non. Je vais dans le nord. Chez des amis, pour quelque temps.

– Cool.

Silence.

– Tu veux boire quelque chose ? lui ai-je proposé au bout d'un moment.

– Euh… oui, je veux bien de l'eau.

Je suis allé dans la cuisine remplir un verre et le lui ai tendu en revenant au salon.

– Tiens.

Alors qu'elle portait le verre à sa bouche, sa main tremblait légèrement. Après avoir avalé une ou deux gorgées, elle l'a posé sur le rebord de la fenêtre. Elle a pris un paquet de cigarettes dans la poche de sa veste et en a sorti une.

– Ça ne te gêne pas si je fume ? a-t-elle demandé alors que la flamme de son briquet atteignait déjà l'extrémité de la cigarette.

– Euh… moi non mais ça va gêner mon père et Adam. Surtout Adam. C'est un véritable fasciste antitabac et ils ne vont pas tarder à arriver.

– Dans combien de temps ? a brusquement demandé Mélanie.

J'ai haussé les épaules.

– Une demi-heure, je pense.

Pourquoi cette urgence dans sa voix ? Pendant un instant, elle avait presque eu l'air paniqué.

– Oh, bon ! a-t-elle repris. L'odeur sera partie dans une demi-heure.

Et elle a allumé sa cigarette. Elle fumait comme si elle essayait d'aspirer un maximum de nicotine. Elle a fermé les yeux durant quelques secondes et un nuage de fumée s'est échappé de ses narines. Écœurant. Et l'odeur envahissait déjà le salon. J'ai soupiré intérieurement. Adam allait péter un câble. Mélanie a rouvert les yeux mais n'a rien dit. Elle a tiré une nouvelle bouffée comme si c'était une bouteille d'oxygène.

– Je ne savais pas que tu fumais, ai-je remarqué.

– J'ai commencé il y a un an. C'est un des derniers plaisirs qui me restent, a rétorqué Mélanie.

Nous avons échangé un regard. Le silence s'est pratiquement matérialisé entre nous. Qu'est-ce que je pouvais bien dire après ça ?

– Bon, euh… et sinon, comment tu vas ? Tu as fait quoi dernièrement ?

C'était pas terrible, mais j'avais pas mieux en magasin.

– Je me suis occupée d'Emma, a répondu Mélanie.

– Et à part ça ? ai-je insisté, un peu désespéré.

Mélanie a eu un sourire en coin. Elle a haussé les épaules sans répondre. Elle a tourné la tête et repris son observation systématique du salon.

Silence.

Le bébé a commencé à gazouiller.

Un peu de bruit. Merci pour ça.

– Et toi ? T'as fait quoi ? a demandé Mélanie en prenant le bébé avant de le caler sur sa hanche gauche tout en faisant passer sa cigarette sur le côté droit de sa bouche. Elle ne me regardait pas. Elle avait les yeux posés sur le visage de la chose qu'elle tenait dans ses bras. La chose a gazouillé plus fort et s'est trémoussée pour se rapprocher d'elle.

– C'est quoi tes projets maintenant que tu as réussi tes examens ?

Pour la première fois depuis qu'elle était arrivée, elle me regardait sans détourner aussitôt les yeux. Et il y avait un truc qui... elle n'avait pas beaucoup changé, c'est vrai, mais son regard avait comme vieilli. Et on y lisait une espèce de tristesse. J'ai secoué la tête. Une nouvelle fois, mon imagination démarrait au quart de tour. Mélanie avait, comme moi, un an et demi de plus, c'est tout.

– En fait, j'attends mes résultats, ai-je lâché. En théorie, ils ne devraient pas tarder.

– Tu penses que tu t'es bien débrouillé ?

J'ai croisé les doigts.

– J'ai travaillé comme un malade, mais si tu racontes ça à qui que ce soit, je te tue !

– C'est vrai, a souri Mélanie. Quelle catastrophe si quelqu'un se doutait que tu as révisé. Mais ne t'inquiète pas : je ne trahirai pas ton secret.

– Si j'ai réussi, je pars en fac d'histoire.

– Et après ?

– Journalisme. Je veux devenir reporter. Je veux écrire des articles que tout le monde aura envie de lire.

– Tu veux travailler pour la presse *people* ? s'est étonnée Mélanie.

– Non ! Tu es folle ! Je veux devenir un reporter reconnu. Je n'ai aucune envie d'interviewer des crétins qui n'ont jamais rien fait d'autre de leur vie que d'être célèbre sans aucune raison !

Je me suis échauffé.

– Je veux couvrir des guerres. M'occuper de politique ! Des choses comme ça !

– Ah ! Ça ressemble plus au Dante que je connais. Pourquoi ?

La question m'a pris au dépourvu.

– Pardon ?

– Pourquoi tu as tellement envie de faire ça ?

J'ai haussé les épaules.

– J'aime la vérité, je crois. Il faut que certaines personnes s'assurent qu'elle soit dite.

– Et tu pourrais faire partie de ces personnes, c'est ça ?

Pour quel prétentieux j'avais réussi à passer ! Gêné, j'ai ajouté :

– Tu ne savais pas ? Dante Leon Bridgeman est le nom que je porte sur Terre. Sur ma planète, on m'appelle Dantel-Eon, combattant pour la justice et la vérité ! Et les jeux vidéo gratuits pour tous.

Mélanie a secoué la tête, une esquisse de sourire sur les lèvres.

– Je me rappelle maintenant pourquoi je t'aimais bien.

T'aimais bien ?

– Pourquoi au passé ?

Elle a baissé les yeux vers le bébé dans ses bras.

– J'ai d'autres choses à penser depuis que nous sommes séparés, Dante.

– Du genre ?

– Du genre Emma pour commencer.

– C'est qui ce bébé ? Une petite cousine ? Une nièce ?

À ce moment, le bébé s'est mis à pleurnicher. Bon sang ! ça avait l'air parti pour durer.

– Sa couche est sale, a dit Mélanie. Prends Emma une minute. Faut que je me débarrasse de ma cigarette.

Elle m'a tendu le bébé en me tournant déjà à moitié le dos. Je n'ai pas eu d'autre choix que de le prendre. Mélanie s'est dirigée vers la cuisine. Jeter sa cigarette n'allait pas servir à grand-chose. Le salon puait le tabac. Je tenais le bébé à bout de bras en reculant ma tête comme une tortue pour mettre un maximum de distance entre lui et moi. J'ai entendu Mélanie ouvrir le robinet et la poubelle s'ouvrir et se fermer. J'étais concentré sur chaque bruit en attendant qu'elle revienne et reprenne cette chose.

Une fois de retour, elle a ouvert d'une main experte l'énorme sac bleu marine accroché à la poussette et en a extirpé un petit matelas plastifié décoré de fleurs multicolores. Elle l'a étendu par terre, puis elle a posé à côté une couche jetable, un sac plastique orange et des lingettes. Avec une mine un peu triste, elle a récupéré le bébé que j'ai laissé aller sans résistance. Je n'ai pas pu m'empêcher de pousser un soupir de soulagement. C'est vrai quoi ! Je n'avais rien demandé, moi ! Mélanie s'est agenouillée sur la moquette et a allongé le bébé sur le petit matelas. Pendant que j'ouvrais la fenêtre, Mel a commencé à babiller comme une idiote.

– Qui va changer le bébé, hein ? Oui, on va le changer, ce bébé ! Oh oui, mon bébé !

C'était de pire en pire. Affligé, je l'ai regardée dégrafer le pyjama jaune et dégager doucement les jambes du bébé. Elle n'allait quand même pas vraiment le changer sur notre moquette ? Eh ! Apparemment si ! Dégueu ! J'aurais bien voulu l'en empêcher mais qu'est-ce que je pouvais dire ? J'ai assisté avec horreur au déballage de la couche sale.

Beurk !

Elle était remplie à craquer de caca. De caca collant, puant, écœurant. J'étais étonné de réussir à ne pas vomir mon petit déjeuner. Mais j'ai reculé autant et aussi vite que je pouvais. Je n'aurais pas bougé plus vite si la couche avait subitement eu des jambes et s'était mise à me poursuivre dans la pièce.

– Tu devrais regarder, a dit Mélanie. Tu pourrais bien apprendre une ou deux choses.

Oui, bien sûr !

– C'est assez simple de changer une couche, a-t-elle continué. Tu lui soulèves doucement les jambes en la tenant par les chevilles, ensuite tu la nettoies jusqu'à ce que ce soit bien propre.

Tout en parlant, Mélanie jetait les lingettes usagées dans la couche sale.

– Et puis tu fermes la vieille couche et tu en déplies une nouvelle. Après tu l'attaches comme ça en t'assurant que ce n'est ni trop serré ni trop lâche. Tu vois, c'est simple. Même toi, tu y arriverais.

– C'est sûr, ai-je acquiescé.

Mais pourquoi je voudrais le faire ? Ça va pas ou quoi !

Après avoir enfermé la couche sale dans le sac plastique, Mélanie a remis son pyjama au bébé. Ensuite, elle l'a pris contre elle et s'est mise à le bercer. Les cils immenses de la petite chose caressaient ses joues rebondies. Mélanie m'a tendu le sac avec la couche sale. Je me suis recroquevillé, horrifié. Elle a souri.

– Tu peux jeter ça dans la poubelle, s'il te plaît ?

– Euh… la cuisine n'a pas changé de place, ai-je rétorqué.

Fais comme chez toi.

– D'accord. Tu veux bien prendre Emma ?

Oh non ! Caca ou bébé ? Bébé ou caca ?

J'ai pris le sac des mains de Mel. En le tenant entre deux doigts et à bout de bras, j'ai commencé à m'éloigner avec précaution mais j'ai rapidement décidé que plus vite ce serait terminé mieux ce serait. Alors j'ai couru à la cuisine, jeté le sac dans la poubelle et me suis lavé les mains aussi méticuleusement qu'un chirurgien avant une opération. Puis je suis retourné dans le salon. Mel riait. Elle m'a regardé et a souri. Ses yeux pétillaient, moqueurs. Je ne voyais pas ce qu'il y avait de si drôle mais l'hilarité de Mel a fait remonter des souvenirs. Le souvenir de moments que je n'avais pas réellement oubliés mais enterrés quelque part au fond de ma mémoire. Je me suis assis, plus perplexe que jamais. Pourquoi Mélanie était-elle venue ? Juste dire bonjour ? Ça sonnait étrangement faux.

– Mel, pourquoi…

– Chut, elle s'est endormie, a-t-elle murmuré.

Elle a reposé le bébé dans sa poussette avec une telle douceur qu'il n'a pas bronché. Mélanie s'est redressée. Elle avait recommencé à se mordre la lèvre. Je suis resté assis. Brusquement, comme si elle venait de prendre la décision, Mélanie a farfouillé dans son grand sac et en a retiré une feuille rose saumon pliée en quatre.

– Lis ça, a-t-elle dit en me la tendant.

J'ai hésité.

– Qu'est-ce que c'est ?

– Lis.

J'ai pris la feuille et je l'ai dépliée.

Copie certifiée conforme
Acte de naissance n°1953

Enfant
Nom et prénom
Dyson Emma Cassandra Angelina
sexe : Féminin

Père
Nom et prénom
Lieu de naissance
Profession

Mère
Nom et prénom
Dyson Mélanie Marie
Lieu de naissance
Londres, Angleterre
Profession
Étudiante

J'ai fixé Mélanie.

– Tu... tu es la mère de ce bébé ?

Elle a lentement acquiescé.

– Dante, je ne sais pas comment t'annoncer ça sans... enfin, sans dire les mots...

Elle n'avait pas besoin d'ajouter quoi que ce soit. Cet acte de naissance était très clair et en même temps si... incompréhensible. Mélanie avait eu un bébé. Elle était maman. J'avais du mal à le réaliser. Mélanie avait presque le même âge que moi. Et elle avait un enfant !

– Dante, il faut que je te dise quelque chose…

Elle n'avait pas dix-neuf ans. Comment avait-elle pu être assez stupide pour tomber enceinte ? Elle n'avait jamais entendu parler de la pilule ? Les enfants, c'était bien quand on avait la trentaine bien entamée, un emprunt pour sa maison, un boulot stable et des économies à la banque. Les enfants, c'était pour ces gens sans envergure qui n'avaient rien d'autre pour remplir leur vie.

– Dante, tu m'écoutes ?

– Hein ?

J'essayais encore d'intégrer que Mélanie était mère quand elle a pris une grande inspiration, puis une autre.

– Dante, c'est toi le père. Emma est ta fille.

2. Adam

Franchement ça craignait grave ! Je m'étais réveillé avec un horrible mal de tête et, à mesure que la matinée passait, il était de plus en plus douloureux. J'avais commis l'erreur de ne pas dissimuler à quel point j'avais mal en descendant petit-déjeuner.

– Tu as encore mal à la tête, Adam ? m'a demandé Papa, le front plissé, quand je me suis assis.

J'ai acquiescé. Des milliers de gnous galopaient dans ma tête. Une fois de plus.

– Tu as très mal ? a insisté Papa.

– Assez, oui.

J'ai appuyé mes doigts sur mes tempes. Depuis environ deux semaines, je souffrais de maux de tête. Pas constants mais fréquents.

– Pourquoi est-ce que tu ne prends pas un cachet ? a grommelé mon frère Dante.

– Mon corps est un temple, l'ai-je informé. Tu sais que je déteste me gaver de médicaments.

– C'est pas se gaver de médicaments de prendre 500 grammes de paracétamol quand tu as mal à la tête, a rétorqué Dante.

– Je ne veux pas de cachet, d'accord ? l'ai-je rembarré.

Dante a haussé les épaules.

– Alors souffre.

– Bon, ça suffit, Adam ! s'est fâché Papa. Maintenant, on va chez le médecin !

Pas question ! Alors là, vraiment pas question !

– J'ai pas mal à ce point-là, Papa !

– Arrête ton cirque, Adam ! Tes maux de tête sont beaucoup trop fréquents ces derniers temps !

– C'est la chaleur! ai-je protesté en repoussant mon bol de céréales.

Leur seule vue me donnait envie de vomir.

– J'ai seulement besoin de m'allonger un peu. Ça ressemble à un début de migraine.

– Tu as ces maux de tête depuis le match contre le lycée des Mineurs, a réfléchi Dante à voix haute. Tu es sûr que...

– Tu vas pas t'y mettre! lui ai-je balancé.

Dante m'a jeté un regard glacial.

– Désolé de m'inquiéter pour toi.

– J'ai pas besoin que tu me couves comme une mère poule!

J'étais un peu injuste avec mon frère. Mais le seul mot pire que «docteur» dans mon vocabulaire était «hôpital». Je sentais déjà la sueur me couler dans le dos.

– Quel match? a demandé Papa.

– C'était rien! ai-je marmonné.

Je n'avais vraiment aucune envie qu'on parle de ça.

– D'après ce que j'ai compris, Adam s'est pris la balle dans la tête, a répondu Dante. Heureusement, il a le crâne vide, alors y a pas eu de dégâts.

Mon père a froncé les sourcils.

– Tu ne m'avais pas parlé de ça, Adam.

– Il n'y avait rien à dire! ai-je grondé. J'ai fait une tête alors que j'aurais dû me baisser.

– Je suis étonné qu'on t'ait choisi pour ce match! a lancé Dante. Ils ont vraiment fait les fonds de tiroir!

– Dante, va te faire...

J'étais prêt à être grossier. Mon père m'a interrompu.

– Dante, garde tes remarques pour toi!

– OK, je me tais! a râlé Dante en se concentrant sur son bol de corn-flakes.

– Papa, j'ai vraiment pas besoin d'aller chez le médecin. C'est juste un mal de tête.

Que la discussion venait d'empirer. J'avais besoin d'un endroit sombre et silencieux.

Papa a secoué la tête.

– Adam, c'est quoi ton problème avec le fait de te soigner ?

– J'ai pas de problème, ai-je nié. Je mets des pansements sans problème.

Papa s'est levé.

– Cette fois, je ne te laisse pas comme ça. Va mettre tes chaussures. Je t'emmène chez un docteur.

Non. Non. Non.

– Mais faut que tu ailles travailler. Si on va chez le docteur maintenant, on va devoir attendre au moins une heure !

Le désespoir perçait dans ma voix.

– C'est comme ça et pas autrement, a fermement répondu Papa. Étant donné que je ne peux pas te faire confiance si je te demande d'y aller sans moi, il faut que je t'emmène. Je vais téléphoner au travail et les prévenir de mon retard. Va te préparer.

Alors que Papa quittait la cuisine, Dante a levé la tête et m'a souri sournoisement.

– Dante, s'il te plaît. Faut que tu me sortes de là, l'ai-je supplié.

– Je peux rien faire, mon pote. Pas cette fois. Désolé.

Il n'avait pas l'air désolé le moins du monde.

– Prends ça du bon côté. Au moins tu vas seulement chez le docteur et pas à l'horrible « H ».

– Merci beaucoup !

– De rien, face de pet. Tu peux toujours compter sur moi.

Et c'est comme ça que je me suis retrouvé dans la voiture de mon père, direction le cabinet médical. Sans aucune idée pour me sortir de cette monstrueuse situation.

3. Dante

Les mots de Mélanie m'ont fait l'effet d'une balle entre les deux yeux. Je l'ai regardée fixement, à la recherche d'un signe, n'importe quoi, me prouvant que c'était une blague. Mais le visage de Mélanie était immobile. J'ai bondi du fauteuil, prêt à lui faire ravaler ses mots, mais mes jambes se sont transformées en coton et je suis retombé. Mes yeux étaient accrochés à ceux de Mélanie. J'étais incapable de parler. Incapable de penser. Mon cœur cognait comme un boxeur alignant une série d'uppercuts.

Je me suis rassis. Espérant de toutes mes forces que Mélanie allait démentir ses propos.

Ha! c'était pas vrai!

Je rigolais.

Poisson d'avril.

Je t'ai bien eu.

Mais elle n'a rien dit.

Ce n'était pas vrai.

Ça ne pouvait pas être vrai.

Mon estomac se contractait douloureusement. Je me suis mis à trembler. Un tremblement qui venait de très loin et qui remontait à la surface de mon corps en cercles concentriques comme à la surface d'une mare. Mon cœur n'était plus le seul à battre. Ma tête s'y était mise.

J'ai commencé à me rappeler des choses que j'aurais préféré oublier.

La soirée chez mon copain Rick. Juste après Noël. Presque deux ans plus tôt. Dix-neuf, non, vingt mois plus tôt pour être précis. Les parents de Rick étaient partis en vacances et avaient laissé la maison à leur fils et à sa sœur aînée. Sauf que la sœur de Rick avait décidé d'aller passer quelques jours avec son petit copain. Ayant la maison pour lui tout seul, Rick avait organisé une fête. J'avais beaucoup trop bu ce soir-là. Mélanie aussi. Tout le monde avait trop bu.

De cette nuit, je n'avais que des images floues. De plus en plus floues à mesure que la soirée avançait. Je sortais avec Mélanie depuis deux mois et j'avais passé un super Noël. Papa m'avait acheté la guitare électrique que je lui réclamais à cor et à cri tout en sachant qu'il n'avait pas les moyens de la payer. Mélanie m'avait offert une montre. Je lui avais offert un collier. Je l'avais prévenue qu'il risquait de lui laisser des traces vertes sur la peau. « C'est pas grave, avait-elle souri. Je te conseille de faire ton rappel de tétanos avant de porter la montre. Ce serait plus prudent. » Nous avons ri et nous sommes embrassés. En arrivant chez Rick, nos bisous se sont transformés en un très long baiser qui a duré jusqu'à ce que Rick ouvre la porte et nous tire à l'intérieur.

On a dansé.

Et bu.

Et on s'est embrassés.

On a dansé encore.

Bu encore.

Et on a continué de s'embrasser.

Quelqu'un nous a crié qu'on devrait se trouver une chambre. Alors pour rire, on l'a fait. Mélanie riait comme une folle en montant les marches. Nous nous tenions par la main, je crois, mais je ne suis pas tout à fait sûr. En revanche, je me rappelle parfaitement que je tenais une bouteille. Un alcool, je ne sais pas lequel. Nous sommes entrés dans la première chambre que nous avons croisée et nous avons fermé la porte derrière nous.

J'ai bu une gorgée à la bouteille. Mélanie riait toujours.
Nous avons recommencé à nous embrasser.

C'est très flou.

C'était la première fois – pour nous deux.

La première et seule fois.

Et... ça a été terminé avant même d'avoir commencé.
Le temps de cligner un œil. Très loin d'un marathon de spécialistes du sexe. Pour être franc, j'ai été déçu. Je me suis dit :
« Alors, c'est ça ? C'est juste ça ? »

Comment ce truc qui avait duré... Non, je ne pouvais même pas dire ça. Ce truc qui n'avait pas duré. Comment est-ce que ça avait pu... devenir un... un...

– Oh bon sang, c'est...

J'ai regardé la chose qui dormait dans la poussette.

Un bébé.

Un enfant.

Mon enfant ?

– Je ne te crois pas.

Je m'étais levé.

– Mon nom ne figure même pas sur l'acte de naissance !
Et puis comment tu peux être sûre qu'il est de moi ?

4. Adam

– Papa, je te jure que c'est complètement inutile !

Je ne parvenais pas à dissimuler le désespoir qui perçait dans ma voix.

– Adam, il faut vraiment que tu dépasses ta phobie des médecins. On va voir le docteur Planter et on part. D'accord ?

Non. Je n'étais pas d'accord du tout.

Si je partais en courant, combien de temps faudrait-il à Papa pour me rattraper ?

J'y ai réfléchi sérieusement avant d'abandonner l'idée. J'étais rapide, mais mon père était endurant. Il n'aurait qu'à me cueillir et à me ramener ici. Et en plus, il serait très fâché.

Calme-toi, Adam. Dix minutes et c'est terminé.

Le docteur allait me prescrire des cachets avant de nous mettre à la porte. Et ce serait fini ! Et Papa serait bien obligé de me lâcher les baskets.

Des affiches de santé publique étaient punaisées au-dessus des six rangées de cinq chaises alignées dans la salle d'attente. Les murs étaient peints d'un vert à vomir. Il y avait beaucoup de monde. Des mères avec leurs gosses et des vieux de plus de quarante ans. Ils étaient presque tous en train de tousser. C'était bizarre en plein mois d'août ! Qui s'enrhume au mois d'août ? Et surtout, j'étais en contact avec des centaines, des milliers de microbes.

Qu'est-ce qu'on fichait ici ? J'avais juste mal à la tête. Depuis quand on allait chez le médecin pour un mal de tête ? J'avais essayé d'expliquer ça à Papa pendant le trajet, mais il n'avait rien voulu entendre. Quand il commençait à faire une fixation, rien ne pouvait le faire changer d'idée. Il se fermait à toute discussion. Dante était exactement pareil.

– Adam Bridgeman, porte numéro 5 ! Adam Bridgeman, s'il vous plaît ?

La voix qui sortait du haut-parleur résonnait dans la salle d'attente. Le panneau électronique déroulant affichait le même message. Papa était déjà debout.

– Attends ici, si tu veux, Papa. Je peux y aller tout seul.

Mon père a haussé un sourcil.

– Pas de problème, fiston. Je t'accompagne.

J'ai soupiré avant de me lever à mon tour. C'est exactement ce que je craignais. Cette journée était pourrie et il n'était même pas midi.

5. Dante

La mâchoire de Mélanie s'est contractée. Ses yeux bruns ont viré au noir obsidienne. Son visage s'est durci, comme transformé en pierre.

– Je ne couche pas à droite à gauche, Dante. Je n'ai été qu'avec toi, a-t-elle déclaré d'une voix glaciale. Et si tu me poses encore cette question, je te gifle. Pour ton information, je n'ai pas fait écrire ton nom sur l'acte de naissance parce que tu n'étais pas avec moi lors de l'enregistrement d'Emma. Il aurait fallu que nous soyons mariés !

Elle m'a transpercé du regard. Je n'ai pas baissé les yeux, mais j'avais de plus en plus de difficulté à respirer. Puis Mélanie a soupiré.

– Écoute, je ne suis pas venue me disputer avec toi. Ce n'était pas du tout dans mes intentions.

– Alors pourquoi ? Pourquoi tu es venue ?

Mélanie a sorti ses cigarettes. Elle en a pris une et l'a portée à sa bouche, mais avant qu'elle n'atteigne ses lèvres, elle l'a cassée en deux. Le tabac est tombé sur le tapis. Mel a glissé les deux morceaux de la cigarette dans sa poche et a passé une main tremblante dans ses cheveux.

– Dante, j'aurais tant de choses à t'expliquer mais je n'ai pas le temps.

– Je ne comprends pas.

Il y avait un tas de trucs que je ne comprenais pas. Mélanie était venue chez moi et avait déposé une bombe au milieu de mon salon. Une bombe qui dormait tranquillement dans sa poussette.

– Pourquoi… pourquoi tu ne t'es pas fait avorter ?

Mélanie m'a fixé puis a haussé les épaules. Comme si ça n'avait pas d'importance. Mais ses yeux disaient l'inverse.

– J'y ai pensé, a-t-elle répondu. J'y ai pensé pendant des jours et des semaines. J'ai même vu mon médecin pour qu'il m'envoie à l'hôpital. Mais... je n'y suis pas allée.

– Pourquoi ?

– Parce que quand j'ai découvert que j'étais enceinte, Emma était déjà là. Bien réelle. Comment aurais-je pu me débarrasser d'elle ? Je n'ai pas pu.

– Tu as pensé à... à la faire adopter à sa naissance ?

Mélanie m'a observé. Son visage indéchiffrable.

– Tu rejettes la faute sur moi, a-t-elle dit avec calme.

– Non. Non, je... c'est juste que... j'essaie de réaliser... de... J'essaie et j'y arrive pas.

– Dès que j'ai vu Emma, j'ai été incapable de la proposer à l'adoption. Pas plus que je n'avais été capable de me faire avorter. Ma tante a fait tout son possible pour me convaincre que c'était la seule solution, mais je ne pouvais pas. Ma mère m'a mise à la porte en apprenant que j'étais enceinte. Ma tante n'a accepté de m'héberger qu'à la condition que je fasse adopter le bébé.

Les yeux de Mélanie brillaient, pleins de larmes qui ne voulaient pas couler.

– Mais la première fois que j'ai posé mes yeux sur Emma, j'ai... elle était tout ce que j'avais au monde. Si je la perdais, il ne me restait rien.

– Ta mère t'a mise à la porte ?

Je ne savais pas quoi dire. Comment dix minutes oubliées à peine écoulées avaient-elles pu changer nos vies à ce point ?

– Pourquoi tu ne me l'as pas dit ?

Mélanie a esquissé un faible sourire.

– Qu'est-ce que tu aurais fait, Dante ?

– Je… je ne sais pas. Mais tu as traversé toutes ces épreuves toute seule et…

– Dante, tu arrives à peine à prendre dans tes mains un sac plastique contenant une couche sale. Tu tiens Emma comme si c'était une bombe prête à exploser. Qu'est-ce que tu crois que tu aurais pu faire ?

Mon regard vide était une réponse éloquente.

– Exactement, a poursuivi Mélanie. C'est pour ça que je n'ai même pas donné ton nom à l'assistante sociale quand elle me l'a demandé.

– Mais… ta tante t'a laissée rester avec elle après la naissance du bébé ?

– Oui. Enfin temporairement. Mais j'ai trouvé un endroit où m'installer.

– C'est pour ça que tu emmènes le bébé dans le nord ? À cause de ta tante ?

Mélanie a acquiescé. Elle a jeté un coup d'œil à sa montre.

– Dante, tu peux me rendre un service ?

– Quoi ?

– Tu peux surveiller Emma le temps que j'aille lui acheter des couches et deux-trois choses dont elle a besoin ?

Quoi ? Non !

– Pourquoi tu la prends pas avec toi ?

– Arrête de dire « la » quand tu parles d'elle. Elle s'appelle Emma et elle n'aime pas être remuée quand elle vient juste de s'endormir. Elle va se réveiller et crier.

Et en quoi c'était mon problème ?

Enfin, sauf que ce bébé était… supposé être le… mien.

J'ai tourné mon regard vers lui, mais c'était trop dur. Rien de tout ça ne pouvait être vrai. J'aurais aimé qu'une personne soit près de moi pour me souffler ce que je devais ressentir et dire. Je n'en avais aucune idée. Je me sentais juste... terrifié. Mon cœur battait à tout rompre. Une sueur froide me dégoulinait dans le dos. J'avais mal au ventre et au crâne. Qu'est-ce que Mélanie me voulait?

J'ai secoué la tête.

— S'il te plaît, Dante, a insisté Mélanie en plongeant ses yeux dans les miens. Je serai revenue bien avant qu'elle se réveille. Je te le promets. Elle est partie pour dormir au moins deux heures.

— Mélanie, si elle se réveille, je ne saurai pas quoi faire.

Je n'avais jamais été aussi sincère de ma vie.

— Tu n'auras rien à faire. Je serai là dans quinze minutes.

Elle se dirigeait déjà vers le couloir.

— Tu peux pas me laisser Emma comme ça! ai-je protesté.

— Au moins, tu l'appelles Emma maintenant!

— Mélanie! Je suis sérieux! Tu peux pas laisser ton bébé ici.

— Oh, Dante! Prends sur toi! Je reviens dans un quart d'heure!

— Tu peux pas laisser ton bébé ici! ai-je répété, en pleine crise de panique. J'allais sortir.

— Peut-être mais pas tout de suite. Tu as dit que tu attendais tes résultats d'examen. Je reviens vite.

Mélanie avait ouvert la porte.

— Et ce n'est pas seulement «mon» bébé. C'est le tien aussi. Ne l'oublie pas.

— Mélanie, attends! Tu ne peux pas faire ça...

Mais elle était déjà sur le trottoir.

— Je reviens tout de suite!

— Si tu veux, je vais faire les courses à ta place pendant que tu surveilles le bébé, ai-je crié.

Mélanie s'est retournée mais elle s'est bien gardée de faire marche arrière. Elle évitait mon regard. On aurait pu croire qu'elle était au bord des larmes.

– Tu ne sais même pas quelle marque de couches acheter. Quelle nourriture aime Emma. Quelle crème je lui mets après son bain. Quelle histoire je lui raconte avant qu'elle s'endorme.

– Tu vas pas lui acheter tout ça maintenant, si ? ai-je fait remarquer. Dis-moi quoi prendre et j'y vais.

– C'est quoi ton problème, Dante ? Tu as peur qu'Emma saute de sa poussette et te morde les mollets ? Je reviens tout de suite. Et à mon retour, on discutera, d'accord ?

Non, pas d'accord. Pas d'accord du tout ! Et je ne voulais pas discuter avec Mélanie. Il fallait absolument qu'elle parte et qu'elle emmène ce bébé loin d'ici. Et qu'elle ne revienne jamais. Si seulement je pouvais me retrouver dans mon lit, quelques heures plus tôt, et effacer tout ce que je venais de vivre. En proie à une frustration croissante, j'ai regardé Mélanie s'éloigner. À chacun de ses pas, le nœud dans mon estomac se resserrait. Je suis rentré. J'avais envie de claquer la porte et de la claquer encore jusqu'à ce qu'elle sorte de ses gonds mais je ne voulais pas prendre le risque de réveiller le bébé avant le retour de Mélanie.

J'avais un enfant. Elle s'appelait Emma. Ma fille.

Oh non...

Qu'est-ce que j'allais faire maintenant ?

Papa...

Qu'est-ce que Papa allait dire ?

Et mon frère ?

Et mes copains ?

Oh non...

La sonnette de la porte d'entrée a retenti.

Mélanie. Elle était revenue. Merci mon Dieu. Elle avait fait super vite. Oh… oui, bien sûr. Elle allait me dire que tout ça n'avait été qu'une blague. Sûrement organisée par Joshua. C'est tout à fait le genre de truc qui le fait rire. Oui, c'était tout à fait son genre, à ce crétin ! Quand j'allais lui mettre la main dessus, j'allais lui faire payer ça.

J'ai ouvert la porte.

– B'jour, a lancé le facteur. Un paquet pour ton père. Faut une signature. Et une lettre pour toi.

Hébété, j'ai griffonné sur la tablette électronique qu'il me tendait. Il m'a remis une grande enveloppe matelassée et un paquet de lettres. La première m'était adressée. J'ai levé la tête pour remercier le facteur mais il était déjà parti.

J'ai refermé la porte et je me suis appuyé contre. Je ne voulais plus bouger d'ici. Je ne voulais surtout pas retourner dans le salon. En fait, j'étais incapable d'y retourner. Si je restais ici, les yeux fermés, et que j'attendais assez longtemps, peut-être que toute cette histoire disparaîtrait par magie. J'ai posé l'enveloppe A4 et ce qui ressemblait à deux factures sur la table du téléphone dans le couloir. J'étais en pilotage automatique. J'ai ouvert la lettre à mon nom. C'était mes résultats d'examen. J'étais gelé et je me sentais horriblement seul.

J'ai lu mes notes.

Mention très bien.

Dans le salon, le bébé s'est mis à pleurer.

6. Dante

Je me suis assis dans le fauteuil face à la poussette et j'ai observé le visage tout plissé du bébé. Des larmes roulaient sur ses joues. Tout en pleurant, il me regardait le regarder. Je me suis dit à cet instant que lui et moi, on ressentait peut-être exactement la même chose. Et il pleurait et pleurait et pleurait de plus en plus fort. Il avait de la chance. J'aurais vraiment voulu en faire autant. Mais les garçons ne pleurent pas. C'est ce que Papa nous a toujours dit et répété à Adam et moi. Et puis ça n'aurait servi à rien.

Deux minutes se sont écoulées, qui sont bientôt devenues cinq minutes et puis dix. Le bébé hurlait de plus en plus fort. Je ne pouvais plus rester dans la même pièce que lui. C'était au-dessus de mes forces. Je suis sorti du salon et j'ai fermé la porte derrière moi. Je me suis réfugié dans la cuisine et je me suis versé un verre de jus de pomme. Je l'ai vidé d'un trait. J'attendais la sonnette. Qu'est-ce que Mélanie fichait ? Elle était partie depuis au moins une demi-heure. Le bébé pleurait toujours mais d'une façon moins stridente. Plus fatiguée et plus tendue aussi. J'ai commencé à faire les cent pas dans le couloir, cherchant toujours à réaliser que ma vie était en train de partir en petits morceaux.

Calme-toi, Dante. Paniquer ne sert à rien.

Mélanie n'allait pas tarder à revenir. Elle emmènerait son bébé dans le nord et personne ne saurait qu'elle était venue. Ni vu ni connu. Je pourrai poursuivre ma vie et elle la sienne. Je devais en être à mon quinzième aller-retour quand mon téléphone a vibré dans ma poche. Appel inconnu.

– Allô ?

– Dante, c'est Mélanie.

– T'es où, bon sang ? Tu avais dit un quart d'heure ! T'es partie depuis une heure.

Silence.

Calme-toi, Dante.

Je me suis forcé à prendre une grande inspiration.

– Mel, tu es où ?

– Je suis désolée, Dante.

Elle avait l'air sincère.

– C'est bon. Du moment que tu es sur le chemin du retour.

– Ce n'est pas le cas.

Quoi ?

– Pardon ?

– Je ne suis pas sur le chemin du retour.

– Tu arrives dans combien de temps alors ?

– Je ne reviens pas, Dante.

– Quoi ?

– J'en peux plus. J'ai essayé. J'ai vraiment essayé. Mais je ne peux plus. J'ai besoin de temps pour me retrouver. Emma sera mieux avec toi. Tu es son père.

Je tombais d'un avion sans parachute. Tout tournait autour de moi. Le sol se rapprochait à une vitesse vertigineuse. Je n'avais rien à quoi me rattraper.

Je ne trouve pas d'autres mots pour décrire ce moment. Une chute.

– Mélanie, tu ne peux pas faire ça ! Tu ne peux pas me le laisser juste parce que tu as une sale journée.

– Une sale journée ? Tu crois que c'est juste une sale journée ?

– Reviens et on va parler de tout ça, ai-je repris en essayant de toutes mes forces d'avoir l'air calme.

– Tu crois que j'ai envie de faire ce que je suis en train de faire ?

Mélanie reniflait en parlant. Soit elle était déjà en train de pleurer, soit ça n'allait plus tarder.

– Je déteste abandonner Emma, mais je n'ai pas le choix.

– Qu'est-ce que tu racontes ? Bien sûr que tu as le choix. C'est ta fille.

– C'est aussi ta fille, a-t-elle rétorqué.

– Mais… mais c'est toi la mère !

– Et toi le père ! Tu crois que je sais plus que toi comment élever un enfant ? Mon père s'est tiré en nous laissant ma sœur et moi. Ma mère avait deux boulots pour pouvoir nous acheter de quoi manger. Je me suis élevée toute seule, Dante. J'ai pas la recette et… et j'aime trop Emma pour gâcher sa vie.

– Mélanie, tu ne peux pas la laisser ici.

– Dante, je n'ai pas le choix. Si elle reste avec moi, je… j'ai peur de…

– Peur de quoi ?

Mélanie n'a pas répondu.

– Mélanie ! Peur de quoi ? ai-je crié.

– De ce qui pourrait arriver… de ce que je pourrais faire…

La voix de Mélanie n'était plus qu'un murmure.

– Je ne comprends pas…

– Dante, j'aime notre fille. Je l'aime vraiment. Je donnerais ma vie pour elle. Mais je n'ai pas de vie. On habite dans une pièce chez ma tante dont l'appartement est grand comme un placard à balais. J'ai abandonné ma vie, mes amis, mes rêves pour Emma. Parfois on est là, toutes les deux, et elle pleure… elle ne s'arrête pas de pleurer. Et je me mets à penser des choses… Des choses qui me font peur. Emma mérite d'être avec quelqu'un capable de bien s'occuper d'elle.

Non. Non. Non.

Je ne voulais pas entendre ce que Mélanie m'expliquait.

– Mais je n'en suis pas capable ! ai-je protesté. Je ne sais rien sur les bébés.

– Tu apprendras, Dante. Tu as toujours été plus patient que moi. Et puis, tu as ton père et ton frère et une grande maison et des amis.

Non. Non. Non.

– Mel, ne fais pas ça.

– Je suis désolée, Dante. Je pars. Je vais passer un peu de temps dans le nord.

J'ai secoué la tête comme un fou.

– Mélanie. S'il te plaît. Ne fais pas ça. Tu ne peux pas faire ça.

– Je suis désolée, Dante. Dis à Emma que... dis-lui que je l'aime.

– Mélanie...

Elle avait raccroché. J'ai immédiatement essayé de la rappeler mais son numéro était caché. J'ai regardé le téléphone, incapable de croire ce qui venait de se passer. Il m'a fallu un moment pour me rendre compte que je tremblais.

Est-ce que c'était une blague ?

La douleur qui me tenaillait l'estomac affirmait le contraire.

Mélanie avait laissé son bébé chez moi et était partie je ne savais même pas où. Personne ne savait où. Elle s'était tirée. Et moi ? Je me retrouvais avec un gosse sur les bras. Un gosse qui était soi-disant le mien. Non. Non. Non. Je rentrais à la fac dans moins d'un mois et il était hors de question que je laisse Mélanie et un bébé ruiner mes projets. Ruiner ma vie. Hors de question.

Le bébé pleurait toujours. La pièce tournait autour de moi. J'avais perdu tout contrôle sur ma vie. Il fallait que je fasse cesser ce bruit. J'ai rouvert la porte du salon et je me suis dirigé vers la poussette. J'ai regardé cette chose. Mon soi-disant bébé. Ma fille. Tremblement de terre dans ma tête. 10 sur l'échelle de Richter. Comment c'était possible ? Dix minutes de presque rien avec Mélanie et je me retrouvais avec cette chose hurlante. Je ne m'entendais même plus penser.

– Tu veux bien arrêter de crier, juste cinq minutes ?

Les mots sont sortis de ma bouche avant que je réalise à quel point ils étaient ridicules. Comme si j'avais la moindre chance de raisonner cette chose dans la poussette.

Oh bon sang, ce bruit.

Trouver une solution. Vite.

J'ai poussé la poussette pour la mettre face à la fenêtre. Si la chose regardait dehors, elle serait peut-être distraite. J'ai sorti mon téléphone et je suis retourné dans la cuisine d'où je n'entendais pas les cris.

– Colette, tu te rappelles Mélanie ? Mélanie Dyson ?

Elle n'avait même pas eu le temps de dire « allô ».

– La fille qui a disparu après Noël il y a presque deux ans ?

– Ouais. Elle.

– Oui, je me souviens. Pourquoi ?

– Vous étiez amies, non ?

– On n'était pas ennemies mais on n'a jamais vraiment discuté non plus, si c'est ce que tu veux savoir.

– Tu n'aurais pas son numéro, par hasard ? Ou celui de sa tante ? Ou son adresse ?

– Non. Pourquoi est-ce que j'aurais l'adresse de la tante de Mélanie ?

J'imaginais sans peine Colette en train de froncer les sourcils.

– En fait, elle est partie vivre chez sa tante et je me suis dit que peut-être…

– Comment tu sais ça ?

– C'est Mel qui me l'a dit.

– Quand ?

Bon sang !

– Euh… une fois.

– Attends, tu sortais avec elle, non ? Pourquoi tu veux reprendre contact ?

– Comme ça… Euh… sans raison particulière, ai-je répondu pitoyablement. Je me demandais juste ce qu'elle devenait, c'est tout.

– Drôle de moment pour te poser ce genre de questions, a commenté Colette.

– Bon. Et donc tu ne sais pas comment je pourrais la contacter, alors ? ai-je redemandé en essayant de réfréner mon impatience.

– Non. Aucune idée. Désolée.

– OK, d'accord. C'est pas grave. Tu connaîtrais pas quelqu'un qui…

– Non. À ma connaissance, Mélanie n'est restée en contact avec personne.

Bon sang. Qu'est-ce que j'allais faire maintenant ?

– Tu as reçu tes résultats d'examen ? s'est renseignée Colette.

– Ouais. Mention très bien, ai-je lâché comme si ça n'avait aucune importance.

– Wouah ! Bravo ! s'est exclamée Colette. Félicitations. Je savais que tu réussirais avec brio !

– Merci… enfin, je crois.

Qu'est-ce que j'allais faire maintenant ?

– Alors ? a lancé Colette.

– Quoi ?

– Tu ne me demandes pas mes résultats ?

Elle avait l'air un peu agacée.

– Si, oui, bien sûr. J'allais le faire. Tu as obtenu les notes que tu voulais ?

– Mention bien.

La satisfaction dans la voix de Colette m'a laissé de glace.

– On ira à la même fac, a-t-elle repris. On ne suivra pas le même cursus mais on sera au même endroit. J'ai trop hâte !

– Pareil, ai-je marmonné faiblement.

On avait postulé à la même université, sans vraiment le faire exprès. Elle voulait étudier l'informatique pour suivre les cours de programmation de jeux vidéo. Elle était très déterminée à devenir riche et célèbre. Sa sœur aînée, Véronica, était assistante sociale, et apparemment, elle gagnait un salaire de misère pour un job super difficile. Ça ne donnait pas vraiment envie.

– Je ne ferai pas les mêmes erreurs que ma sœur, me répétait souvent Colette.

Moi ? Je voulais devenir journaliste depuis la mort de Maman. L'université que j'avais demandée se trouvait à plus de deux cents kilomètres de la maison et ça m'allait parfaitement. J'avais hâte de quitter cet endroit. Et pour être honnête, j'avais hâte de ne plus m'inquiéter pour Adam que de loin. C'était mon frère et je l'adorais mais c'était pas le type le plus simple de la Terre.

– Ça va être génial ! s'enthousiasmait Colette à l'autre bout du fil. On va faire la fête demain soir, hein ? Ça va être cool de revoir tout le monde avant qu'on se disperse aux quatre coins du monde. Cela dit, je n'ai jamais compris cette expression. La Terre est une sphère, comment pourrait-elle avoir des coins ?

– Ça sonne à la porte, ai-je menti. Faut que j'y aille. Je te rappelle tout à l'heure.

J'ai raccroché avant que Colette puisse placer un autre mot.

Qu'est-ce que je vais bien pouvoir faire ?

Je ne pouvais pas rester comme ça. J'ai regardé ma montre. Papa et Adam n'allaient plus tarder. J'avais moins d'une heure pour me sortir de ce pétrin. Je pouvais peut-être… le cacher pendant que j'essayais de retrouver Mélanie.

Idée stupide. Comment cacher un bébé ? Je n'arrivais pas à réfléchir rationellement. Je l'ignorais avant ça mais la panique était un organisme bien vivant et il s'était enraciné en moi pour me dévorer de l'intérieur. J'ai ouvert la porte de la cuisine. Au moins le bébé avait arrêté de pleurer.

Bon sang ! Erreur ! Il devait juste être en train de reprendre son souffle parce que là, c'était reparti de plus belle. J'ai refermé la porte.

J'ai passé les dix minutes suivantes à appeler des copains et des copains de copains pour tenter de trouver quelqu'un capable de me fournir une information sur Mélanie. En vain. Après avoir quitté le lycée, elle avait coupé toute relation avec tout le monde. J'ai été obligé d'admettre ma défaite. Ceux qui se souvenaient d'elle n'avaient pas la moindre idée de là où elle se trouvait. J'ai alors eu une autre idée. J'ai cherché sur Facebook depuis mon téléphone. Si Mel y était, je pourrais contacter des amis à elle et essayer de savoir où la joindre. Mais je ne l'ai pas trouvée. J'ai tapé des variations autour de son nom : Mel, Mélanie, Lanie, Lani, son nom de famille, son surnom… rien.

J'étais foutu.

Il fallait que je sorte d'ici.

Je me suis dirigé vers la porte d'entrée, mais les cris du bébé m'ont rattrapé par le col. J'ai ouvert la porte et mon instinct me hurlait de partir en courant.

De me tirer.

De fuir.

Et le bébé continuait de pleurer.

J'ai refermé la porte. En la claquant cette fois. J'ai monté les marches quatre à quatre et je me suis précipité dans ma chambre. Je me suis laissé tomber sur le lit, les yeux fixés sur le poster de Beyoncé au plafond.

Qu'est-ce que je vais faire, maintenant ?

Je ne pouvais quand même pas rester comme ça, sans bouger.

Il fallait que je retrouve Mélanie, qu'elle revienne et qu'elle récupère son bébé. Mais comment, alors que je n'avais ni son numéro de portable ni son adresse ! Je ne connaissais même pas le nom de sa tante. Les murs se rapprochaient et je n'avais aucune issue.

J'ai gardé les yeux au plafond et j'ai attendu.

Une idée.

Une inspiration.

Le retour de Mel.

La fin du cauchemar.

Une porte de secours.

J'ai attendu.

Au bout de dix minutes, le bruit en bas a commencé à faiblir. Puis a cessé. Je n'ai pas bougé. J'ai compté les secondes. Attendant le cliquetis de la clé dans la serrure.

7. Adam

– Je ne veux pas y aller, Papa.

– Bon sang ! Adam !

Papa a serré les mains sur le volant.

– Adam, il s'agit seulement d'une prise de sang et d'un scanner. C'est tout. Pourquoi tu en fais tout un plat ?

– Je n'irai pas.

Mon père a poussé un long soupir exaspéré. Mais s'il pensait que je n'étais pas sérieux, il se trompait lourdement. Cent chevaux sauvages n'auraient pas été capables de me traîner jusqu'à un hôpital. Papa croyait-il que j'étais trop jeune à la mort de Maman ? Eh bien, ce n'était pas le cas. J'avais vu ma mère se transformer en squelette sous mes yeux pendant que les docteurs et l'hôpital lui suçaient ce qui lui restait de vie. Papa ne comprenait pas. Dante non plus. Ils m'ont cru trop jeune à l'époque pour comprendre ce qui se passait. Ils ne répondaient jamais vraiment à mes questions, ils éludaient, se débarrassaient de moi. Je ne suis pas idiot. Je sais que ma mère est morte d'un cancer de la moelle épinière. Je le sais, mais elle voulait rentrer à la maison. Elle détestait l'hôpital. Elle me l'avait dit. Et ils ne l'ont pas laissée partir.

– Le docteur Planter a dit que c'était une simple mesure de précaution, a repris Papa.

– Et elle a précisé que ce n'était probablement rien. La chaleur et le contrecoup du stress des exams, ai-je ajouté.

– Oui, mais ça ne mange pas de pain de faire les contrôles, a rétorqué Papa.

Je me suis tourné vers la vitre. Inutile de discuter. De toute façon, mes maux de tête auraient sûrement disparu le temps qu'on ait un rendez-vous pour le scanner.

Papa a allumé la radio alors qu'on arrivait dans notre rue. Ça ne servait plus à rien. On aurait à peine le temps d'entendre un couplet. Papa s'est mis à fredonner dès qu'il a reconnu la mélodie. Et il chantait comme une casserole.

– Papa, tu chantes faux!

On s'est arrêtés devant la maison et Papa a coupé le contact.

– Ah, les enfants! Vous êtes incapables d'apprécier mon style, a-t-il lancé avec condescendance.

– T'as raison!

J'ai ouvert ma portière. C'était vraiment trop insupportable. J'ai regardé notre maison mitoyenne. Sa porte bleu marine, sa façade blanche et sa grande barrière en bois. Notre maison était spéciale, mais on ne le remarquait pas au premier coup d'œil. C'était comme un vieux manteau confortable. Elle n'avait rien de luxueux mais je l'aimais bien. Même si Maman n'était plus là, parfois quand j'étais seul, j'avais l'impression de l'entendre, de sentir son parfum. Son rire résonnait encore presque comme si elle se trouvait dans la pièce à côté.

Presque.

C'est pour ça que j'aimais bien notre maison. Je n'avais envie de vivre nulle part ailleurs. J'ai remonté le chemin et j'ai introduit ma clé dans la serrure. Papa m'a emboîté le pas en continuant de se vanter de son style musical. Ça n'aidait pas mon mal de tête.

8. Dante

Je me suis lentement redressé et j'ai posé mes orteils sur la moquette bleue.

– Dante ! On est là ! a crié Adam. Tu as reçu tes résultats d'examen ? Tu as réussi ? Je suis sûr que t'as eu que des super-notes.

La voix de Papa a suivi.

– Alors, tu as réussi ?

Je suis allé jusqu'au palier et je me suis assis sur la première marche. Mon cœur cognait contre ma cage thoracique. Papa et Adam ont levé vers moi un regard interrogateur.

– Alors ? a répété Adam impatiemment.

– Mention très bien.

– Je le savais ! s'est-il exclamé avec un sourire jusqu'aux oreilles.

– Tu as réussi, a lâché Papa.

J'ai ravalé la déception qui me remontait dans la gorge. Mais qu'est-ce que j'avais cru ? Qu'il allait me féliciter pour avoir réussi mes examens à dix-sept ans au lieu de dix-huit ? Ou pour avoir travaillé comme un malade ? Cours toujours.

– Oui, j'ai réussi.

– C'est bien pour toi.

Surtout, te force pas, Papa, ai-je songé avec amertume.

Nous ne nous quittions pas des yeux. Le regard d'Adam est passé de Papa à moi. Il était perplexe comme à chaque fois que Papa et moi avions la moindre « conversation ».

– Tu vas partir à l'université, alors ? a demandé mon père.

– C'est ce qui est prévu, oui.

Papa a reniflé avant de se diriger vers la cuisine.

– Si j'avais eu ta chance, je serais millionnaire aujourd'hui.

Et si j'avais reçu une livre à chaque fois que je l'avais entendu dire ça, je serais millionnaire aujourd'hui.

Papa s'est retourné vers Adam.

– Je me fais un café avant de partir au travail. Tu en veux un ? Ça t'aiderait peut-être à faire passer tes cachets ?

– Non merci, a répondu mon frère.

– Dante, tu veux boire quelque chose ?

Ça ne lui était pas venu spontanément de me proposer. J'ai haussé les épaules.

– Non merci, Papa.

J'avais les poings serrés. Impossible de me détendre, même si ma vie en avait dépendu. Ça ne l'aurait quand même pas tué d'afficher un tout petit peu plus d'enthousiasme.

– Ça veut dire que je vais pouvoir récupérer ta chambre ! s'est exclamé Adam en donnant un coup de poing dans l'air. Yes !

Il a aussitôt porté la main à sa tempe en grognant. Bien fait pour lui.

– J'espère que je ne vais pas trop te manquer, ai-je lancé en grimaçant.

– Tu rigoles ! Pas le moins du monde, a déclaré Adam en se massant la tempe.

Il s'est tourné vers la cuisine pour crier :

– Papa, je pourrai repeindre la chambre de Dante quand il sera parti ?

Puis il m'a de nouveau regardé.

– Je vais commencer par virer tous tes posters de naze.

– Pour les remplacer par quoi ? Des images de papillons ?

– De papillons et d'ouragans, a répliqué Adam, faisant allusion à une chanson de son groupe préféré.

– De papillons et de chatons plutôt, ai-je raillé.

Adam a jeté un rapide coup d'œil dans le couloir pour être sûr que Papa n'était pas à portée de vue avant de dresser son majeur dans ma direction. Si Papa savait ce que son petit ange faisait derrière son dos.

Et pendant ce temps-là, dans le salon...

C'était insupportable. Comme d'attendre de s'écraser en avion quand on sait qu'il n'y a plus d'espoir. La porte du salon était entrouverte. Adam a commencé à monter les marches, tout sourire à l'idée de récupérer ma chambre.

– Il a dit quoi le docteur, face de rat ? lui ai-je demandé.

Le sourire de mon frère s'est évanoui.

– Elle veut m'envoyer à l'hôpital pour une analyse de sang.

– C'est quoi ton problème ?

– J'en ai pas, à part de t'avoir comme frère, a rétorqué Adam.

J'étais sur le point de lui balancer un truc bien senti quand un bruit inimitable s'est élevé dans le salon. Pas aussi fort que tout à l'heure mais parfaitement reconnaissable et inratable. Et personne n'avait pu allumer la télé ou la radio. L'avion avait atteint le sol.

Papa est sorti de la cuisine.

– Qu'est-ce que c'est que ça ?

Je me suis levé. Lentement. Mon cœur essayait de passer à travers mes côtes et mon estomac faisait du saut à l'élastique. Papa est allé vers le salon. Adam l'a rejoint. J'ai commencé à descendre l'escalier, marche par marche.

– Dante ! Qu'est-ce que ce bébé fait ici ?

J'étais dans l'encadrement de la porte. Papa s'est retourné vers moi.

– Dante ?

– C'est... Mélanie l'a amené tout à l'heure. Tu te souviens de Mélanie ? Mélanie Dyson. Son nom... le nom du bébé, c'est Emma Dyson.

– Mélanie est là ?

Papa a levé les yeux vers le plafond.

– Elle est à l'étage ?

– Ohoh ! Dante est dans sa chambre avec sa petite amie !
a pépié Adam.

À cet instant, j'ai vraiment, *vraiment* eu envie de lui en coller
une.

– C'est pas ma petite amie ! Et elle n'est pas là-haut. Elle est
partie...

– Où ? a demandé Papa.

– Elle a dit qu'elle allait acheter des couches et d'autres trucs
pour le bébé, mais... mais... elle...

– Quoi ?

Le visage de Papa était de plus en plus tendu. J'ai pris
une inspiration.

– Elle ne reviendra pas.

– Qu'est-ce que c'est que cette histoire ?

Papa a regardé le bébé, puis m'a regardé.

– Pourquoi aurait-elle laissé sa petite sœur ici ? Il y a eu
un accident ?

– C'est pas sa petite sœur.

J'ai attendu un moment avant de lâcher la bombe.

– C'est sa fille.

– Sa fille ? Pourquoi aurait-elle...

Papa m'a observé comme s'il me voyait pour la première fois.

– Adam, va dans ta chambre et trouve-toi une occupation.

– Une occupation ?

– Oui et tout de suite ! s'est énervé Papa. Et ferme la porte
derrière toi.

Les yeux de mon père étaient comme des missiles à tête
chercheuse et je n'avais nulle part où me cacher.

9. Adam

Papa ne s'énerve presque jamais après moi, alors j'ai tout de suite compris que c'était sérieux. J'ai regardé Dante et Papa et de nouveau Dante. Ils se fixaient comme des adversaires prêts à se battre. Personne ne se souciait plus de mon mal de tête qui, par bonheur, était en train de décroître. J'ai aussitôt décidé que la prochaine fois, je garderai l'info pour moi.

Je me demandais ce qui se passait.

Je suis sorti du salon en me gardant bien de fermer la porte entièrement. J'ai monté les deux premières marches en faisant du bruit avant de retourner discrètement dans le couloir. Pas question que je rate ça. Des milliers de questions tournaient dans ma tête et je n'avais jamais cru au bonheur de l'ignorance. Je n'avais aucune idée de ce qui se passait mais j'allais faire ce qu'il faut pour l'apprendre.

10. Dante

Je me suis assis sans enthousiasme dans le fauteuil. Papa s'est approché de la poussette, contemplant son contenu. Les secondes passaient. S'étiraient. J'aurais donné tout ce que j'avais pour savoir ce qu'il était en train de penser. Le bébé a tendu les mains vers lui. Papa l'a soulevé et pris dans ses bras. Le bébé a presque aussitôt arrêté de hurler et a posé la tête sur l'épaule de mon père. Papa a regardé par la fenêtre. Il me tournait le dos. Il est resté comme ça une éternité avant de se retourner vers moi.

– Dante, qu'est-ce que c'est que cette histoire ? a-t-il demandé d'une voix douce.

– Mélanie est venue ce matin et…

– Tu me l'as déjà dit, m'a interrompu Papa. Pourquoi a-t-elle laissé le bébé ici ? Et que veux-tu dire par « elle ne reviendra pas » ?

– Mélanie l'a laissé ici parce que… elle a dit que… elle ne se sentait plus capable de…

Je ne regardais plus mon père. Je n'y arrivais plus. Penché en avant, je m'adressais à la moquette, comme si le poids du monde reposait sur mes épaules.

– Pourquoi a-t-elle laissé sa fille *ici*, Dante ?

Silence.

– Dante, je t'ai posé une question.

– Elle a dit… elle a dit que… c'était ma fille. Elle a dit que j'étais le père.

Le silence qui s'est installé était palpable. Épais. J'ai redressé la tête. Tout doucement. Je me suis redressé. J'avais besoin de savoir ce que Papa pensait et ressentait à cet instant précis.

Même si ça risquait d'être horriblement douloureux. Papa me fixait, les yeux écarquillés, la bouche entrouverte. Choqué. Il a fait un effort pour se reprendre.

– C'est ta fille ?

– Je ne sais pas.

– Mais c'est possible ?

– … oui, ai-je marmonné.

– Espèce de crétin, a lancé Papa. Crétin, crétin, crétin…

Il ne criait pas. Il était trop calme. Il aurait dû crier.

Papa a fermé les yeux et s'est détourné de moi. Quand il a rouvert les paupières, il ne me regardait pas. Ça m'a fait mal. Quand ses yeux se sont à nouveau posés sur moi, ça a été comme s'il me clouait au fauteuil. Il a secoué la tête.

Vas-y, Papa. Crie-moi dessus. Insulte-moi. Imbécile… irresponsable… débile…

– Comment as-tu pu être aussi bête ?

Enfin. Il commençait à élever la voix.

– Je ne me suis jamais inquiété pour toi comme je m'inquiète pour Adam parce que je croyais que tu étais un peu malin. Ta mère disait toujours que tu avais les pieds sur Terre. Selon elle, Adam était l'idéaliste de la famille, le rêveur, alors que tu étais celui qui savait où il allait.

Le ton méprisant de Papa me transperçait le cœur.

– Tu veux que je te dise ? Pour une fois, je suis content que ta mère ne soit pas là pour voir ça !

Cette dernière remarque a atteint sa cible plus profondément que les autres. J'avais mal.

La voix de Papa s'est radoucie. C'était encore pire.

– Dante, je ne sais pas quoi te dire. Je suis déçu. Tu m'as laissé tomber et pire encore, tu t'es laissé tomber toi-même.

Comme si je ne le savais pas déjà.

Papa a secoué la tête.

– Tu ne comprends pas, hein ? Je voulais que tu aspires à quelque chose de mieux que d'avoir un enfant à dix-sept ans. Bon sang ! Je pensais que je t'avais élevé de façon à ce que tu dépasses les clichés !

Papa croyait vraiment que c'est ce que moi je voulais ? Je désirais plus que tout au monde faire quelque chose de ma vie. Devenir quelqu'un. Je ne voulais pas de tout ça. Est-ce qu'il ne le comprenait pas ?

Papa a baissé les yeux vers la chose qui s'agitait dans ses bras.

– Alors la mère est partie et te l'a laissée ?

J'ai acquiescé.

– Quelle ironie, a sombrement commenté Papa.

– Pourquoi tu dis ça ?

– En général, ce sont les hommes qui quittent le navire, a-t-il répondu en s'approchant de moi. Prends-la.

– Quoi ?

– Tu n'as pas encore pris ta fille dans tes bras ?

J'ai secoué la tête. Dans mes bras, non. Seulement à bout de bras.

– Pas vraiment.

Et je n'en avais aucune envie. Il ne s'en rendait pas compte ?

– Prends-la, Dante.

– Et si je la laisse tomber ?

– Tu ne vas pas la laisser tomber ! Prends-la dans tes bras et serre-la contre toi.

Je n'ai pas fait un geste. Je ne voulais pas tenir cette chose. Mais l'un de nous deux devait bouger et je savais que ce ne serait pas Papa. J'ai pris le bébé, maladroitement. Il a gigoté et a commencé à pleurnicher.

– Tiens-la correctement, a grondé Papa.

Et comment je faisais ça ? Terrifié à l'idée de la lâcher, je l'ai rapprochée de ma poitrine jusqu'à ce que sa joue touche mon épaule. À ce moment, elle a arrêté de bouger. Coup de chance. Son petit poing était posé sur mon T-shirt. Elle sentait le bébé. Le lait et la crème. Son petit corps était chaud ; ses cheveux doux comme de la soie.

J'ai détesté ça.

Papa s'est assis sur le canapé.

– Raconte-moi tout ce qui s'est passé ce matin, a-t-il demandé d'une voix glaciale.

Alors je lui ai raconté – la version expurgée mais, même comme ça, c'était horrible.

Quand j'ai eu terminé, il a secoué la tête une nouvelle fois et, plissant les yeux, m'a observé. Il était au-delà de la colère mais, contrairement à la plupart des gens, ça le rendait plus calme.

– Mélanie et toi couchiez ensemble régulièrement ?

Mes joues sont devenues brûlantes. Ce n'était pas le genre de sujet de conversation que j'avais envie d'avoir avec mon père.

– Ce n'est arrivé qu'une fois. Rien qu'une. À la fête de Rick. Et on avait tous les deux bu.

– Vous n'étiez pas assez soûls pour que ça vous empêche d'avoir une relation sexuelle apparemment, a-t-il commenté. Mais trop soûls pour utiliser un préservatif.

– C'était juste une fois… ai-je marmonné.

– Une fois suffit, Dante. Tu en portes la preuve dans tes bras. Est-ce que Colette ou une autre fille risque de s'amener avec un autre de tes gosses ?

– Non. J'ai… je l'ai juste fait avec Mélanie.

Ma voix était à peine un murmure mais Papa a réussi à m'entendre. Mon visage dégageait une telle chaleur que j'aurais pu servir de source d'énergie à toute la ville. Papa m'a dévisagé et a dû décider que je disais la vérité parce que ses traits se sont légèrement détendus.

– Je n'arrive pas à croire que Mélanie et toi avez eu un bébé et que je n'en entende parler que maintenant.

– Je ne l'ai appris qu'aujourd'hui, ai-je tenté de me défendre.

– Tu ignorais que Mélanie était enceinte ? a demandé Papa d'une voix tranchante.

J'ai opiné.

– T'es-tu donné la peine de te renseigner ?

Je suis devenu incandescent. Mon silence était éloquent.

– Dante, a repris Papa. Je t'ai élevé. Je t'ai appris des choses. Nous avons eu des conversations sur les précautions à prendre et sur la responsabilité de chacun dans une relation. Pourquoi ne m'as-tu pas écouté ?

La déception qui perçait dans sa voix était plus difficile à recevoir que les mots qu'il avait prononcés sous le coup de la colère. Même en grimpant au sommet de l'Everest, j'aurais été encore trop bas pour commencer à pouvoir redresser la tête.

– Je n'ai jamais pensé qu'elle pouvait tomber enceinte, ai-je protesté.

– Tu ne sais donc pas comment on fait les bébés ? m'a raillé Papa. C'est toi qui passais ton temps à me dire que c'était inutile de te parler des petits oiseaux et des abeilles parce que tu avais appris tout ça en classe. C'était un mensonge ?

Mon corps entier irradiait. D'un moment à l'autre, je risquais la combustion spontanée.

– On a appris ça en classe, ai-je confirmé.

– Tu as séché ces cours ?

– Non, Papa.

– Alors comment se fait-il que tu n'aies pas pensé que Mélanie pouvait tomber enceinte ?

– Je pensais… je me suis dit que Mel devait prendre la pilule ou quelque chose…

J'étais pitoyable.

– Elle ne m'a jamais dit qu'elle était enceinte, ai-je tenté. Elle n'en a même jamais évoqué la possibilité. Et puis un jour, elle a quitté le lycée.

– Il faut être deux pour faire un bébé, Dante. Peu importe ce que tu as cru ou pas. Tu aurais dû t'assurer qu'elle ne tomberait pas enceinte en utilisant un préservatif !

Dans mes bras, le bébé recommençait à gigoter. J'ai détourné le visage pour m'en éloigner au maximum.

– Dante, tiens ta fille correctement. Ce n'est pas un sac poubelle puant !

J'ai pris une longue inspiration et j'ai arrêté de m'écarter du bébé. La pièce était silencieuse. Papa, comme moi, essayait de comprendre les implications de toute cette histoire.

– Qu'est-ce que je vais faire, Papa ?

Ma voix tremblait malgré moi. J'étais coincé, fichu, fini et je ne voyais aucun moyen de m'en sortir.

– Je pars à l'université dans quelques semaines. Comment est-ce que je pourrais m'occuper d'un bébé ?

Le regard de mon père était posé sur moi mais c'était comme s'il ne me voyait pas.

– Papa… ai-je murmuré au bout d'un moment.

J'ai réussi à attirer son attention. Il a secoué la tête.

– Dante, tu as un enfant à présent. Une petite fille. Regarde-la. Elle s'appelle Emma.

J'ai jeté un coup d'œil au bébé. Rapidement. Je n'arrivais presque plus à respirer. J'avais l'impression que je venais de recevoir un coup de poing dans la gorge. Ma tête m'élançait. Je tenais un bébé dans mes bras. Un vrai bébé. Une personne vivante. Cette pensée me terrifiait plus encore que tout le reste.

– Je ne peux pas m'en occuper, Papa.

– Tu n'as pas le choix, mon fils.

– Peut-être que je pourrais la faire adopter ou la placer en famille d'accueil ?

Les mots avaient à peine quitté ma bouche que je me suis rendu compte de mon erreur. Je n'aurais jamais dû formuler cette pensée à voix haute.

– Tu abandonnerais ta chair et ton sang, ta fille, juste parce qu'elle te dérange ! Tu sais ce que signifie une adoption ? Il s'agit de donner son enfant. Pour toujours. C'est vraiment ce que tu veux ?

Oui. Je n'ai que dix-sept ans !

Évidemment que je n'avais aucune envie de me retrouver coincé avec un gosse à mon âge. Le goût amer de la culpabilité a envahi ma bouche, mais c'était comme ça. Je n'avais aucune envie que l'opinion que mon père avait de moi tombe encore plus bas – d'autant que mon estime de moi se situait bien en dessous de l'écorce terrestre –, mais cet enfant dans mes bras était un mur de briques entre ma vie et moi. Je voulais qu'on m'en débarrasse. Je n'allais quand même pas laisser cette petite chose ruiner mes projets, gâcher mon avenir. Pourrir ma vie entière.

– De toute façon, tu ne peux pas faire adopter ta fille sans le consentement de sa mère. Et tu m'as dit que tu ignorais où se trouve Mélanie, a grondé Papa. À mon avis, c'est la même chose pour un placement en famille d'accueil. Alors tu comptes faire quoi ? La déposer sur le seuil d'une maison quelque part ?

– Bien sûr que non ! me suis-je écrié, choqué.

Est-ce que Papa me croyait vraiment capable d'une telle chose ? Et moi qui pensais que je ne pouvais pas tomber plus bas.

– Dante, si ta fille n'était pas avec nous dans la pièce...

Il plissa si fort les lèvres qu'elles se transformèrent en une mince ligne presque blanche sur son visage.

– ... je ne sais pas ce que je ferais. Je n'arrive toujours pas à croire que tu as pu être aussi bête. Tu penses que ça n'affecte que toi ? Ce n'est pas le cas. Nous allons tous devoir supporter les conséquences de tes actes.

– Si ça peut te rassurer, je n'ai aucune envie de me féliciter, ai-je lâché.

Silence.

– Tu n'as pas beaucoup de choix à ta disposition, Dante.

J'ai tout de suite compris où il voulait en venir.

– Papa, je n'ai pas d'argent, pas de travail et aucun moyen de trouver l'un ou l'autre. Tout ce que j'ai, c'est ma mention très bien !

– Dante, calme-toi et écoute-moi attentivement. Tu as un enfant. Que tu l'abandonnes ou que tu le gardes, rien ne changera cet état de fait. Rien de ce que je pourras dire ou faire ne modifiera ça. Tu dois commencer à en prendre conscience. À l'accepter. Que ça te plaise ou non. Et je dois en faire autant.

– Qu'est-ce que je pourrai apporter à un bébé ?

– Ce que je vous ai apporté à ton frère et à toi. Un toit, de la nourriture et... ta présence. Ce n'est pas rien.

Mais je l'entendais à peine. Pourquoi est-ce qu'il ne m'écoutait pas ? Il fallait d'abord que je m'occupe de ma propre vie. Sinon comment je pourrais m'occuper de celle de quelqu'un d'autre ?

– Alors tu garderas le bébé pendant que j'irai à l'université ? ai-je demandé.

Papa s'est mis à rire. C'était un rire rauque. Une parodie de rire.

– J'ai un travail à plein temps, Dante. Comment veux-tu que je m'occupe de ta fille en même temps ?

– Et moi ? Comment je suis censé aller à l'université et m'occuper d'un bébé en même temps ! ai-je protesté.

– Tu ne peux pas, a simplement répondu Papa.

– Je... je...

J'ai regardé l'enfant dans mes bras. Elle dormait profondément. Les derniers mots de Papa résonnaient dans ma tête comme une énorme cloche.

– Si personne ne peut s'occuper d'elle, je ne vois pas où est le problème de la placer en famille d'accueil. Juste pour un temps.

Je n'avais pas l'intention de laisser tomber cette idée.

Papa m'a toisé.

– Alors tu veux faire comme Mélanie ? Abandonner ton propre enfant ? Le donner à des étrangers ?

– Je suis un étranger pour elle, ai-je fait remarquer.

– Sauf que tu peux être autre chose, Dante, a répliqué mon père. Tu as une décision à prendre. Sans doute la décision la plus importante de ta vie.

– Mais l'université ?

– Et Emma ? a riposté Papa.

– Mais je ne sais même pas comment on s'occupe d'un bébé !

Papa ne m'écoutait pas.

– Tu devras apprendre. Tu as voulu jouer à des jeux de grands ? Eh bien, tu dois affronter des conséquences de grands.

Bon sang !

Papa nous a considérés, le bébé et moi.

– Tu te souviens, Dante, quand tu avais huit ans et que tu n'arrêtais pas de nous réclamer un chien, à ta mère et à moi ?

Et voilà. La leçon de vie. L'analogie. Le « C'est exactement la même chose » alors que ça n'avait rien à voir.

– Oui, Papa, ai-je soupiré. Je me souviens.

Oui, je me rappelais même très bien. Malheureusement. J'avais supplié et supplié pour avoir un chien. N'importe quel chien, je n'étais pas difficile.

Oui, je m'occuperai de lui.

Oui, je le sortirai tous les jours.

Oui, je le nourrirai et le brosserai et jouerai avec lui.

Non, je ne le négligerai jamais. Jamais, jamais.

Alors Papa a pris une décision. Il ne m'a pas demandé mon avis. Il ne m'en a même pas parlé. Il est revenu à la maison avec un poisson rouge. Un poisson rouge ! Qu'est-ce qu'un poisson rouge avait à voir avec un chien ? Comment est-ce que j'étais supposé jouer avec un poisson rouge ? Aimer un poisson rouge ?

– Tu nous as rebattu les oreilles jusqu'à ce qu'on n'en puisse plus, a repris Papa. Et on a fini par se mettre d'accord sur quoi ?

– On s'est jamais mis d'accord, ai-je marmonné.

– Oh si, on s'est mis d'accord ! a affirmé Papa. Je t'ai dit que si tu étais capable de t'occuper de ce poisson rouge pendant trois mois, juste trois mois, alors on t'achèterait un chien pour ton anniversaire.

– Et qu'est-ce que ça a à voir avec tout ça ? ai-je demandé.

L'insolence dans ma voix me faisait ressembler à Adam, mais je ne pouvais pas m'en empêcher.

– Combien de temps ce poisson rouge a-t-il vécu, Dante ?

– Je ne vois pas le...

– Combien de temps ?

– Deux semaines, ai-je répondu de mauvais cœur.

– Huit jours, m'a corrigé Papa.

Et il n'a plus jamais été question d'avoir un chien.

– Dante, tu as une fille à présent. Elle s'appelle Emma. Et tu dois te mettre dans la tête très vite que ce n'est pas un poisson rouge que tu peux négliger et jeter. Ce n'est pas un chien que tu peux amener dans un chenil quand tu as autre chose à faire que de t'en occuper. C'est un être humain. Tu ne peux pas fuir tes responsabilités. Pas cette fois. Pas sans avoir essayé. La vie ne marche pas comme ça. Même quand on n'a que dix-sept ans.

– Des tas de types s'enfuient dans les mêmes circonstances, ai-je lancé.

– Tu n'es pas « des tas de types », a déclaré mon père. Tu es mon fils et je sais que je t'ai élevé mieux que ça. Tu ne fuis pas devant les problèmes comme un lâche. Surtout quand tu en es responsable.

– Je dois faire quoi alors ?

– Tu prends une grande inspiration, tu grandis et tu te comportes comme un homme. Tu as une fille maintenant.

Papa et moi nous sommes regardés. Sans dire un mot. Mais je savais exactement ce qu'il essayait de me faire comprendre. Entre aller à l'université et m'occuper d'un bébé qui était soi-disant le mien, Papa estimait qu'il n'y avait pas le choix. J'ai fermé les yeux. Je n'ai pas pu faire autrement.

– Dante ?

– J'ai compris, Papa ! ai-je crié. Et puis quoi ? Je vais devenir serveur dans un fast-food ? Balayeur de rues ? Ou je vais trier des réclamations pour des assurances et m'ennuyer à mort toute ma vie comme mon père ?

– S'il le faut, oui, a répondu Papa. Tu feras tout ce qui est nécessaire et légal pour gagner de l'argent. Même si Mélanie revenait à cet instant, tu serais tout de même financièrement responsable de ta fille pour les dix-huit prochaines années. Penses-y bien. Et il n'y a aucune honte à travailler pour nourrir sa famille.

Famille ? Papa et Adam, c'était eux ma famille. Je n'avais besoin de personne d'autre. Et surtout pas de ce bébé.

Si Papa n'avait pas été là, je l'aurais posé par terre et j'aurais cogné les murs jusqu'à ce que mes poings saignent.

– Dante, regarde ta fille, a dit Papa.

– Quoi ?

Papa s'est levé et est venu vers moi. Il a ajusté mes bras autour du bébé de façon à ce qu'elle tienne dans le creux de mon coude. Elle avait les yeux fermés, le visage tourné vers moi. C'était la première fois que je la regardais vraiment. Elle avait un visage tout rond, des joues potelées et une bouche rose, minuscule. Ses cheveux noirs encadraient son visage. On aurait dit qu'elle avait un bonnet de bain. Elle était chaude et immobile. Épuisée sans doute par les cris qu'elle avait poussés et les larmes qu'elle avait versées. Je ne sais pas ce que Papa attendait. Pensait-il que le simple fait de considérer cette chose allait me faire changer d'avis. Croyait-il que je me dirais d'un coup que cuire des steaks toute ma vie était finalement un petit prix à payer pour avoir la chance de chérir cette petite chose ? Espérait-il que j'allais soudain me mettre à l'aimer ?

Eh bien, ça ne marchait pas. Je ne ressentais rien.

Rien, hormis une peur dévastatrice.

11. Adam

Oh bon sang! Bon sang! Est-ce que j'avais bien entendu?
Dante a un bébé?
Oh-oh! Quelqu'un venait par ici...
Il était temps pour moi de disparaître. Temporairement,
bien sûr.

12. Dante

Papa s'est passé la main dans les cheveux dans un geste de fatigue.

– Bon sang! Quel bordel! a-t-il marmonné. Et j'étais déjà en retard au boulot. Je leur avais dit que j'arriverais à midi au plus tard.

Il s'est dirigé vers la porte.

– Papa...

Impossible de finir ma phrase. Je voulais lui crier de rester. De m'aider. De réparer mes bêtises. Je ne voulais pas qu'il parte. J'avais l'impression d'être le dernier être vivant dans l'univers. Si seul. C'était ce que je ressentais depuis qu'Emma était entrée dans ma vie.

Emma...

Et voilà que Papa m'abandonnait. Je savais que je ne méritais rien d'autre mais j'avais besoin d'aide.

– Allô, Ian, c'est moi, Tyler... je suis désolé, mais j'ai un problème. Je ne vais pas pouvoir venir travailler cet après-midi... Non, non, Adam va bien. Enfin, il doit aller à l'hôpital pour des examens mais bon... Non... enfin, oui, mais je t'expliquerai demain, d'accord? Non, non, rien de tout ça. OK, à demain.

Le téléphone a émis un petit bruit quand Papa l'a raccroché. Et puis Papa est revenu dans le salon.

– Merci.

Ce n'était qu'un murmure mais il m'était venu du fond du cœur.

– Oh Dante, a soupiré Papa. Moi qui te croyais plus malin que...

Silence. J'ai froncé les sourcils. Je ne voyais pas ce qu'il voulait dire.

– Que ?

– Plus malin que ça, Dante. Tu es censé savoir que chacun de tes actes a des conséquences. Je te pensais assez malin pour ne pas te retrouver avec un bébé sur les bras à dix-sept ans.

Bon. Mais ce n'était pas le cas. Alors pourquoi le dire et le répéter encore ?

Papa a pris le sac accroché à la poussette, puis il s'est assis sur le canapé et a regardé dedans. Lait en poudre, biberon, couches, un livre avec les coins mâchouillés, une enveloppe A5 gonflée de papiers, un genre de pyjama de bébé avec des boutons-pression, des lingettes dans un sac plastique fermé par un nœud, un verre canard, deux petits pots. Papa a sorti les documents de l'enveloppe. Son visage s'assombrissait à vue d'œil.

– Qu'est-ce que c'est ? ai-je demandé.

– Son dossier médical, on dirait.

Il a remis les papiers dans l'enveloppe.

– Ça peut attendre, a-t-il déclaré. Il faut que je réfléchisse.

Qu'il réfléchisse ? À quoi ? C'est moi qui étais dans la mouise jusqu'au cou.

Papa a dû lire ce que je ressentais sur mon visage parce qu'il a répondu à la question que je n'avais pas formulée.

– On va essayer de déterminer les priorités, Dante. À partir de maintenant, nous devons, toi et moi, nous concentrer sur les priorités.

Il a soupiré.

– Si seulement ta mère était là. Elle a toujours eu l'esprit plus pratique que moi.

– De quelles priorités tu parles ?

– Pour commencer, Emma a besoin de nourriture et d'un endroit où dormir.

Je n'avais pas poussé ma réflexion aussi loin.

– Tu veux dire un lit de bébé ?

– Exactement.

J'ai examiné le salon d'un air dubitatif.

– Ça va faire bizarre, un lit de bébé ici.

Papa a hoché la tête.

– C'est pour ça qu'on va le mettre dans ta chambre.

Il rigolait, là ?

– Quoi ? Non...

– Et où veux-tu qu'on l'installe, Dante ?

Papa a jeté un coup d'œil à sa montre.

– Il vaudrait mieux que j'aille maintenant au centre commercial si je veux avoir une chance de trouver une place de parking.

– Le bébé va dormir dans ma chambre ? ai-je lâché, hébété.

– Bien sûr. Comme ça, si Emma pleure pendant la nuit, tu pourras te lever pour la changer, la nourrir ou la bercer jusqu'à ce qu'elle se rendorme.

Oh non !

– J'ai besoin de mes huit heures de sommeil, moi ! Et sans interruption !

– Bienvenue dans le monde des parents, Dante, a souri Papa.

Il a posé la main sur la poignée de la porte du salon et s'est retourné vers moi.

– Et Dante, au fait...

– Oui ?

– Tu peux continuer d'appeler Emma « le bébé » autant que tu voudras, ça ne changera rien. Tu vas pouvoir te débrouiller pendant une heure ?

Non.

– Dante ?

Papa a plongé ses yeux dans les miens.

– Je sais que c'est un choc, mon garçon. C'est un choc pour nous tous, y compris Emma. Mais tu peux y arriver si tu décides de ne rien faire de stupide.

– Comme quoi ?

De quoi voulait-il parler ?

– Reste à la maison, d'accord ? Je reviens aussi vite que possible.

Sur ces mots, il est sorti de la pièce...

– Adam ! Qu'est-ce que tu fiches ici ? s'est-il écrié. Quand j'ai une conversation privée, tu n'es pas autorisé à écouter aux portes !

– Oui, Papa, a répondu mon frère.

Sa contrition faisait aussi vraie que des seins siliconés. Adam était d'une curiosité maladive. Il était toujours à se mêler des affaires des autres. Mais de toute façon, je n'aurais pas pu lui cacher ce qui m'était arrivé aujourd'hui.

– Je reviens vite, Dante. Occupe-toi de ton frère et d'Emma.

– Oui, Papa.

Je me suis levé pour reposer le bébé dans sa poussette mais, dans un demi-sommeil, il s'est tout de suite mis à gigoter en pleurnichant. Je l'ai repris dans mes bras. Il s'est calmé.

À peine la porte d'entrée s'était-elle refermée sur mon père que celle du salon s'ouvrait sur mon frère.

– Est-ce que j'ai bien entendu ?

Adam avait les yeux comme des soucoupes.

– Qu'est-ce que tu as entendu ?

– Tu as une fille ?

J'ai une fille.

J'ai haussé les épaules. Je n'étais pas prêt à prononcer ces mots à voix haute. Je me suis contenté de répéter ce que Mélanie m'avait dit à moi :

– Elle s'appelle Emma.

– Whoua !

Adam me regardait et on aurait dit que ses yeux allaient sortir de leurs orbites. Son expression était un mélange confus d'incrédulité, d'étonnement et de stupeur.

– Je peux la prendre ?

Il s'est approché de moi sur la pointe des pieds comme si le bruit de ses pas sur la moquette risquait de réveiller le bébé.

Je me suis relevé, tendant déjà les bras vers lui. Et puis, j'ai hésité.

– Euh… assieds-toi, d'abord.

Adam a obéi sans discuter. Il a mis ses bras en position, impatient. Pourtant, j'hésitais encore.

– Je ne vais pas la faire tomber, je te le jure ! S'il te plaît, passe-la-moi.

J'ai déposé le bébé contre lui. Il a bougé et s'est étiré sans ouvrir les yeux. Très doucement, Adam a ajusté son étreinte de façon à bien le caler. Il l'a bercé un moment avant de lui embrasser le front.

– Elle est belle, a-t-il murmuré. Bonjour Emma. Comme tu es mignonne. Ça doit te venir de ta mère parce que ton père, c'est vraiment pas un apollon.

– Tu es mon frère, Adam, lui ai-je fait remarquer. Si je suis moche, t'es forcément pas terrible non plus.

– Si, parce que la classe et la beauté ont sauté ton tour quand tu es né. Elles attendaient que j'arrive, m'a informé Adam. En tout cas, ta fille est magnifique. Et elle sent super bon.

Mon frère a levé la tête pour me sourire mais ça n'a duré qu'une seconde. C'était comme s'il n'arrivait pas à détacher son regard du bébé. Il a continué de lui parler en chuchotant.

– Coucou Emma. Je suis Adam. Je suis le frère de ton papa. Eh, mais attends… Waouh ! Je suis ton oncle, Emma ! Je suis ton oncle Adam !

J'ai crispé la mâchoire. Mon frère était oncle ! À seize ans ! Bon sang ! Et il avait l'air content. Son visage et son corps semblaient vibrer de plaisir. Le bébé a ouvert les yeux. Oh non ! J'ai retenu ma respiration, dans l'attente de la cacophonie qui n'allait pas tarder. Le bébé a regardé mon frère dans les yeux… et a souri. Puis il a refermé les yeux et s'est rendormi.

– Je suis ton oncle Adam et je t'adore !

Adam a de nouveau embrassé Emma sur le front et l'a tendrement serrée contre lui.

Emma lui avait souri. Et je n'avais jamais entendu Adam faire une déclaration d'amour à qui que ce soit. Mais là, voilà, juste comme ça, il adorait ce bébé. Pourquoi ? Et pourquoi est-ce que je me sentais soudain si… vide ?

13. Dante

Adam a gardé Emma. Ce qui me convenait parfaitement. J'avais des trucs à faire – comme par exemple trouver une idée pour me sortir de cette galère.

Je suis allé sur Internet faire des recherches sur l'adoption, les familles d'accueil, Mélanie Dyson et les tests de paternité. Apparemment, Papa avait raison concernant l'adoption. Sans l'accord de Mélanie, c'était quasiment impossible. Trouver des infos sur les familles d'accueil a été encore plus difficile. J'ai fini par comprendre qu'il y avait peut-être des possibilités mais rien de simple, loin de là. Il y avait des tonnes de sites expliquant comment devenir famille d'accueil mais presque aucun sur comment placer son enfant. Il fallait faire intervenir des tas d'assistantes sociales et autres personnes du même genre. Ça faisait encore plus de gens pour assister au désastre qu'était devenue ma vie. Manifestement, les enfants étaient placés *à cause* de leurs parents, pas *par* leurs parents.

À mesure de ma lecture, je me sentais de plus en plus minable. Il s'agissait de mon enfant, de ma fille, et je cherchais des moyens de me débarrasser d'elle. Pourtant, je jure que je ne pensais pas qu'à moi en faisant ça. C'est vrai, qu'est-ce que je pouvais apporter à un bébé ? Malgré tout ce que Papa m'avait dit, j'étais persuadé que cet enfant serait beaucoup mieux sans moi.

Mais chaque chose en son temps. Je ne pouvais de toute façon rien faire avant d'avoir établi avec certitude que cet enfant était le mien. Ce qui signifiait un test ADN. Sauf que je n'avais aucune idée de comment m'y prendre sans participer à une de ces émissions débiles où des gens faisaient part à tout le pays de leur vie privée avant d'être sermonnés par le présentateur. Ce qui ne me convenait pas du tout, du tout. J'ai tapé ADN dans Google sans réellement espérer trouver une info intéressante. À ma grande surprise, il y avait en ligne des dizaines de sociétés proposant de réaliser des tests de paternité. J'ai lu tous les détails. Ça semblait assez simple. En échange de toutes mes économies durement gagnées, ils me faisaient parvenir un kit de test ADN. Il fallait juste que je frotte un genre de grand coton-tige à l'intérieur de ma bouche pour obtenir ce qu'ils appelaient des cellules buccales. Je devais en faire autant pour le bébé et envoyer les échantillons. Cinq jours plus tard, ils postaient les résultats. Ce n'est pas vraiment que je mettais la parole de Mélanie en doute mais elle avait pu, je ne sais pas, moi, se tromper. Elle s'était forcément trompée. En tout cas, c'était possible. Et moi, je devais être sûr. Il était impossible de prendre la moindre décision avant ça. J'ai donc appelé une des sociétés dont le site me semblait plus pro que les autres. J'ai pris une voix grave pour avoir l'air plus… mature et j'ai donné à la femme tous les détails de ma demande et le numéro de ma carte de crédit. La somme demandée représentait plus de la moitié de ce que je possédais mais, si le résultat était bien celui que j'espérais, ça valait carrément le coup.

Quand j'ai eu terminé, je suis retourné dans le salon. Adam n'avait pas bougé. Il m'a souri et a murmuré :

– Elle dort.

Papa avait un plan d'action qu'il suivait à la lettre et Adam, lui, prenait tout ça si facilement. Ils étaient parfaitement à l'aise dans toute cette histoire. Ils nageaient alors que je coulais. Je me suis laissé tomber sur une chaise face à Adam et je l'ai regardé tenir ce bébé dans ses bras comme si c'était la chose la plus naturelle du monde. Comme s'il avait fait ça toute sa vie.

– Elle est vraiment jolie, a-t-il soufflé. Tu as de la chance.

– De la chance ?

Il plaisantait là, ou quoi ?

– Mais oui. Emma va t'aimer inconditionnellement – du moins jusqu'à ce qu'elle réalise quel crétin tu es, ce qui arrivera sans doute à l'adolescence.

– Ah oui, ai-je répondu sèchement. T'en sais des choses pour un gamin d'à peine seize ans.

– Je suis peut-être plus petit, plus mince et plus jeune que toi, mais dans tous les autres domaines, je te bats à plate couture.

J'ai éclaté de rire. C'était bizarre mais bon aussi. Cette journée qui n'en finissait pas ne m'avait jusqu'à présent pas donné l'occasion d'un sourire.

– Toujours aussi modeste, à ce que je vois !

Mais en réalité, mon frère avait raison. Adam était ce genre de garçon qui réussit ses examens sans vraiment travailler. Il ne s'agissait pas seulement des examens d'ailleurs mais de toute sa vie. Moi, je devais toujours être au maximum de mes capacités. Adam était drôle, vif, beau sans effort apparent. « Un jour, je serai un acteur célèbre » : voilà ce qu'Adam nous répétait un millier de fois par jour à Papa et à moi depuis ses douze ans. « Je rêve de devenir acteur plus que tout au monde. Chacun de mes souffles, chacune de mes pensées, chacun de mes rêves est dédié à cette envie. »

Non, mais sans rire !

– Et moi, je rêvais de devenir chanteur de rock ! ai-je riposté un jour.

– Ça n'a rien à voir, a affirmé Adam. Pour toi, ce n'était qu'un rêve. Tu chantes aussi faux que Papa. C'est génétique ! Mais mon rêve à moi deviendra réalité. Regarde-moi : je suis beau et je suis le meilleur de mon cours de théâtre. Seule la modestie m'empêche d'être absolument parfait.

Incroyable ! Mesdames et messieurs, sur scène ce soir, le garçon à l'ego le plus impressionnant du monde !

– Adam, évite de faire une fixation sur cette idée de devenir acteur. Tu as très peu de chances d'y parvenir, l'avait alors prévenu Papa.

Adam s'était tourné vers lui.

– On avait peu de chances de marcher un jour sur la lune ou d'inventer la pénicilline et pourtant on l'a fait. Des événements improbables se produisent tous les jours. Si mon désir d'être acteur est assez fort, j'y arriverai !

– Tu devrais quand même prévoir un plan B au cas où ça ne marcherait pas, avait rétorqué Papa en voyant qu'Adam était sérieux.

Mon frère s'était contenté de secouer la tête.

– Un plan B signifierait que je n'y crois pas à 100 %, que j'imagine la possibilité d'un échec. Mais ce mot ne fait pas partie de mon vocabulaire. De toute façon, je suis trop talentueux pour échouer.

Papa et moi avions échangé un regard et levé les yeux au ciel.

Quant à utiliser la salle de bains le matin, ce n'était pas la peine d'y penser. Si Papa et moi voulions prendre une douche avant midi, on était obligés de se lever super tôt pour y être avant Adam. Une fois qu'il était dedans, impossible de le sortir de là. Comme il nous l'avait expliqué, il devait nettoyer sa peau, la tonifier et l'hydrater afin qu'elle « soit lisse comme de la soie » – c'étaient ses propres mots. Ce qui lui prenait au moins quarante minutes chaque jour. C'était dingue !

Mon frère, Adam.

Il m'a souri avant de baisser à nouveau les yeux vers Emma.

– Tu veux la prendre un petit peu ?

– Non, ça va. Tu te débrouilles comme un chef.

Adam a soupiré. Il a eu soudain l'air presque… triste.

– Qu'est-ce qu'il y a ? lui ai-je demandé.

– J'aurais adoré devenir père un jour, a-t-il soupiré. Mais ça n'arrivera jamais.

– Je ne vois pas ce qui t'empêcherait de rencontrer une fille bien, de t'installer et de mettre au monde une équipe de foot si tu en as envie.

Adam a grimacé.

– Est-ce que j'ai vraiment l'air d'un garçon qui va s'installer avec une fille bien ?

J'ai haussé les épaules.

– On a vu des trucs plus bizarres.

– Si je m'installe un jour, ce ne sera pas avec une fille bien et de toute façon…

– Installe-toi avec une fille pas bien alors, l'ai-je interrompu. Il paraît que c'est plus marrant de toute façon.

– Ce ne sera pas avec une fille… a commencé Adam.

J'ai secoué la tête et je me suis détourné.

– Arrête ! Je ne veux pas parler de ça avec toi !

– C'est vrai, a pensivement acquiescé Adam. Tu ne veux jamais parler de ça avec moi.

Ça, c'était vraiment injuste.

– Tu es trop jeune pour savoir ce que tu es réellement, ai-je affirmé.

– Tu avais quel âge quand tu as su que tu aimais les filles ? a rétorqué mon frère.

– Adam, arrête ça ! me suis-je agacé.

– Tu t'énerves toujours quand je te pose une question à laquelle tu ne sais pas quoi répondre.

– C'est pas vrai, ai-je protesté. Et je dis seulement que c'est une phase qui te passera en grandissant.

– Tu as traversé la même phase, Dante ?

– Non, mais j'ai lu quelque part que c'était fréquent chez les garçons.

– Une phase, hein ? Et ta phase à toi, elle va passer quand ?

– Hein ?

– Oui, ta phase hétérosexuelle, elle va passer quand ?

– Tu fais chier, Adam.

– Je te demande, c'est tout. Et puis tiens, quand ta phase sera passée, je ferai ce qu'il faut pour que la mienne passe aussi.

Je lui ai jeté un regard noir.

– Ma situation est complètement différente et tu le sais très bien.

– Pourquoi ? Parce que vous, les hétérosexuels, vous êtes plus nombreux ? Il y a aussi plus de brunes que de rousses. Est-ce que ça fait des rousses des personnes anormales juste parce qu'elles sont en minorité ?

– Tu fais exprès de ne pas comprendre.

– Si, je comprends parfaitement au contraire. Je suis seulement curieux de cet âge où enfin je vais comprendre la vie, cet âge où je vais soudain me transformer en toi.

– Je ne veux pas que tu souffres, Adam, c'est tout.

Un léger sourire est apparu sur les lèvres de mon frère.

– Je sais, Dante, mais il s'agit de ma vie. Pas de la tienne. De quoi tu as peur ? Je ne suis pas contagieux, tu sais.

– Ne sois pas idiot, c'est juste que... ai-je commencé avant de secouer la tête. Laisse tomber.

– Non, vas-y. Dis-le.

– Je suis inquiet pour toi, ai-je admis. Tu devrais être plus...

– Quoi ? Dans le placard ?

– Non, bien sûr que non. Enfin, pas exactement. Tu devrais surtout réfléchir avant de parler, choisir les bons moments.

Adam a froncé les sourcils.

– Tu veux dire choisir les moments importants pour moi ? Ou les moments où tu préférerais que je n'en parle pas ?

Il déformait délibérément mes propos.

– Je ne suis pas contre toi, Adam, lui ai-je rappelé.

– Moi non plus, je ne suis pas contre toi, m'a informé mon frère.

Silence.

– Je sais, ai-je fini par soupirer.

– Je suis content de l'entendre.

– Mais bon sang, ce que tu peux être pénible parfois !

– Pas de gros mots devant ta fille, m'a-t-il repris. Surveille ton langage.

Je me suis mis à rire avant de m'arrêter brusquement. Depuis quand « Bon sang » était-il un gros mot ? Mais à vrai dire, je n'avais aucune envie qu'Emma soit le genre de bébés à proférer des grossièretés.

Bon sang ! Je devenais fou ou quoi ? Ce bébé serait sorti de ma vie longtemps avant de prononcer ses premiers mots.

– Tu étais amoureux de Mélanie ? m'a soudain demandé mon frère.

J'ai secoué la tête sans hésiter.

– Dommage, a dit Adam.

– Pourquoi ?

– Un bébé aussi extraordinaire que ta fille aurait dû être conçu dans l'amour.

– Elle n'aurait pas dû être conçue du tout !

– N'empêche qu'elle est là maintenant, a remarqué Adam. Et elle va y rester !

– Le jury est encore en train de délibérer.

– Tu penses que Mélanie va revenir la chercher ?

– Si Dieu existe, oui.

Mon frère a ouvert la bouche mais l'a refermée sans rien dire. Nous sommes restés silencieux un moment. Je ne sais pas ce qui passait dans la tête d'Adam mais ses mots résonnaient dans la mienne. J'ai regardé le bébé endormi dans ses bras. Si petit. Absolument sans défense.

Ma fille, Emma.

... Aurait dû être conçue dans l'amour...

Oui, elle aurait dû être conçue dans l'amour.

À nouveau cette douleur comme si j'avais reçu un coup de poing dans la gorge. J'ai fermé les yeux, attendant de pouvoir les rouvrir sans me rendre ridicule. Et quelle a été la première chose que j'ai vue ? Mon frère embrassant Emma sur le front. Encore. Je l'enviais. Il faisait toujours confiance à tout le monde et acceptait chaque situation comme elle se présentait tant qu'il ne voyait pas de raison de faire autrement. C'est pourquoi j'étais si inquiet pour lui. Il était d'une telle naïveté... En comparaison, j'étais le mec le plus cynique de la Terre.

14. Adam

Pauvre Dante. Je ne peux pas m'empêcher d'être désolé pour lui. J'imagine que ce doit être un choc de se retrouver père d'un seul coup. Et père célibataire en plus. Il donnait l'impression de se tenir au bord d'une falaise en se disant que quoi qu'il fasse, il allait tomber. Il n'était même pas capable de voir la beauté de sa fille – un miracle, vu le père !

Et sa tête quand je lui ai dit que je ne serai jamais père. Je ne cache pas ce que je suis, mais ma famille ne m'encourage pas vraiment à être ouvert sur le sujet. Papa préfère ignorer le fait que je préfère les garçons. Comme s'il y avait un animal étrange dans son salon qu'il pouvait faire disparaître juste en n'y prêtant aucune attention. Dante, lui, agissait comme si c'était une lubie à la mode dont je me débarrasserai à la saison suivante.

Alors que je sais que je suis homo depuis que j'ai treize ans.

Et qu'en plus, je n'en ai pas honte du tout. Mieux même, j'en suis fier.

J'aimerais vraiment que Papa et Dante se détendent à ce sujet.

15. Dante

Quand Papa est enfin rentré, il lui a fallu trois voyages jusqu'à la voiture pour décharger son coffre. Il avait dû acheter les trois quarts de la boutique pour bébés. En un rien de temps, le salon s'est transformé en piste de course d'obstacles. Contre le mur était appuyé un lit de bébé en kit ; on avait assez de couches jetables pour assécher la Manche ; il y avait aussi un truc qui permettait de porter le bébé contre soi tout en gardant les mains libres, une bouteille de gel-douche pour bébé, de la crème adoucissante pour bébé, de la crème antirougeurs pour bébé, quelques autres produits du même genre, des couverts pour bébé, des biberons, un stérilisateur, une petite couette, une chaise haute, quelques jouets comme une balle toute molle et toute douce et un nounours, deux livres pour bébé, une robe et deux ou trois autres habits, des chaussons pour bébé, des lingettes pour bébé... bébé, bébé, bébé !

Adam m'avait rendu Emma qui se réveillait et il déambulait dans la pièce comme si c'était Noël. Mes yeux écarquillés allaient d'Emma à tous ces trucs dont un si petit être avait besoin. J'ai compris plus que jamais à quel point je n'étais pas à la hauteur.

– Ça a dû coûter une fortune ! me suis-je exclamé, choqué par la montagne d'objets que Papa avait achetés.

– Je voulais juste prendre un lit, des couches et des vêtements de rechange, a-t-il reconnu d'un air penaud.

J'ai haussé les sourcils.

– C'est pour ma petite-fille ! s'est-il défendu.

On aurait presque dit qu'il était gêné.

– Pour tout le reste, ce sera à toi de payer, a-t-il ajouté.

À moi de payer ? Mais j'allais être fauché en moins d'une semaine. Et tous ces trucs ! Comme si Emma allait rester. Longtemps. Alors que dans un jour ou deux, une semaine au maximum, j'aurais les résultats du test ADN.

Emma a gigoté et tendu les bras vers les jouets posés sur le tapis. À ses gazouillements, il n'était pas difficile de deviner qu'elle était aussi excitée qu'Adam.

– Elle veut que tu la poses, m'a averti Papa. Elle veut explorer.

– C'est pas dangereux ?

Papa a souri.

– Non. Tiens-toi juste prêt à la reprendre dans tes bras si elle cherche à toucher quelque chose qu'elle ne devrait pas.

J'ai doucement déposé le bébé sur le tapis. Il est parti comme une flèche. Je n'avais jamais vu personne se déplacer aussi vite à quatre pattes ! Nous avons tous éclaté de rire. Ça n'était pas si souvent ces derniers temps que nous riions tous ensemble. J'ai été le premier à me reprendre. Je n'étais vraiment pas d'humeur à rire.

Emma s'est approchée du canapé et a essayé de se redresser. Deux fois de suite, elle est tombée sur les fesses mais elle n'a ni pleuré ni grogné. Elle a juste réessayé. Elle a fini par réussir à se mettre debout mais elle était très vacillante.

– Elle sait marcher ? ai-je demandé, ébahi.

– Pas encore, a répondu Papa, mais si elle arrive à se mettre debout, ça veut dire qu'elle ne va pas tarder à tenter le coup.

Emma a attrapé un paquet de lingettes et s'est laissée retomber. Elle a examiné l'objet sous tous ses angles comme si c'était quelque chose de fascinant. Nous avions tous les yeux fixés sur elle.

– Bon, a fini par lancer Papa. Commençons par le commencement. Adam, tu peux m'aider à monter le lit pendant que Dante surveille Emma ?

Adam a ouvert de grands yeux et a pointé son doigt sur sa poitrine.

– Moi ? Mais Papa, regarde mes mains ! Ce ne sont pas celles d'un travailleur manuel.

– Je ne peux pas le faire tout seul, a grondé Papa.

– Je n'ai qu'à surveiller Emma pendant que Dante te donne un coup de main, a proposé Adam.

Papa a soupiré.

– Adam, ton frère doit passer un peu de temps avec sa fille. Il doit s'habituer à être avec elle et elle doit apprendre à le connaître. C'est pour ça que c'est toi qui vas m'aider et pas lui.

– C'est pas juste, s'est plaint mon frère.

– Mon pauvre chéri, l'a raillé Papa. Et maintenant bouge-toi et aide-moi à monter ce lit à l'étage.

Adam s'est retourné pour me jeter un regard noir. Je lui ai souri. Ça changeait. Pour une fois que c'était lui qui se faisait reprendre par Papa. Et ça me plaisait bien.

– Laisse-moi au moins aller me changer, a supplié Adam. Sinon, je risque d'abîmer mon T-shirt préféré.

Adam avait filé avant que Papa ait le temps de l'arrêter. Mon père a levé les yeux au ciel.

– Ce qui est sûr, c'est que son côté maniaque avec ses vêtements, c'est de votre mère qu'il le tient. Certainement pas de moi.

Tout à coup, il s'est écrié :

– Dante ! Ne laisse pas ta fille mâchouiller ce plastique !

Je me suis retourné pour découvrir Emma en train de sucer le paquet de lingettes. Je le lui ai pris des mains.

– Non, Emma. Ne mets pas ça dans ta bouche.

Elle m'a adressé un regard indigné, et soudain ses lèvres se sont déformées, ses yeux se sont plissés. Bon sang! Je savais exactement ce qui allait suivre.

– Attends, Emma. Regarde ça!

J'ai pris la balle de couleur et je la lui ai tendue.

– Tu as vu le joli ballon?

Emma a pris le jouet et, après l'avoir tourné dans ses petites mains, l'a porté à sa bouche.

Pfiou! Catastrophe évitée!

Quand je me suis redressé, Papa avait un grand sourire.

– Quoi? ai-je demandé un peu sèchement.

– Rien, a-t-il répondu sans cesser de sourire.

Hmm. Il avait clairement quelque chose en tête mais il ne semblait pas avoir envie de m'en faire part!

Adam est revenu avec un autre T-shirt et un autre pantalon. Les couleurs n'étaient pas les mêmes mais le style, strictement identique. À son expression, Papa pensait exactement la même chose que moi. Il a examiné Adam des pieds à la tête mais n'a pas fait de commentaire.

– Bon, Adam, tu prends ce côté et on y va. Toi, Dante, tu commences à trier tous les achats. Tout en surveillant ta fille.

– Tu crois vraiment que c'est ma fille?

Les mots m'avaient échappé.

Adam et Papa ont tous les deux grimacé.

– Bon, laissez tomber, ai-je marmonné.

– Évidemment que c'est ta fille! a affirmé Adam. C'est ton portrait craché!

– Je croyais que tous les bébés ressemblaient à Winston Churchill, ai-je rétorqué en jetant un regard en coin à Emma.

Mon père a émis un ricanement.

– C'est vrai, oui, mais seulement les deux premiers jours. Ensuite, les traits de leurs visages s'affirment, et Adam a raison : elle te ressemble.

Je ne trouvais pas du tout. Mais pour être franc, je n'avais pas tellement regardé Emma jusqu'à présent.

– Papa, tant que tu seras dans ma chambre, ai-je soupiré, tu pourras enlever le poster de Beyoncé ?

Papa a fait semblant d'essayer de se retenir de rire.

– Pourquoi ?

Je suis devenu écarlate et j'ai décidé de ne pas mordre à l'hameçon. Heureusement, Papa n'a pas insisté.

– OK, mon fils, pas de problème.

J'ai ignoré son petit air entendu.

Adam s'est accroupi et a placé ses doigts sous le carton du lit.

– Je suis sûr que je vais avoir des ampoules, a-t-il pesté.

Papa a levé les yeux au ciel.

– Je sens que ça va être pénible !

16. Adam

C'était vraiment très désagréable. Rappelez-moi de ne plus jamais accepter ce genre de travail.

Enfin, c'était pour une bonne cause. Pour ma nièce. Je n'arrive pas à m'habituer à ce mot. Ma nièce. C'est tellement bizarre. Je suis sûr que mon frère trouve que dire « ma fille », c'est encore plus bizarre. Pauvre Dante. Depuis que Papa et moi sommes revenus de chez le « M », il a l'air à l'agonie. On dirait un lapin pris dans les phares d'une voiture. Papa a été super efficace, sans doute dans l'espoir que Dante se mette dans le rythme. Mais je ne crois pas que Dante ait bien réalisé.

Je n'en reviens toujours pas.

Dante. Monsieur l'Expert. Monsieur Vérité. Monsieur Justice, monsieur Chaque-minute-de-ma-vie-est-planifiée-pour-les-dix-prochaines-années, a un gosse. Un beau bébé. Une magnifique petite fille. Quel petit cachottier. Élève studieux le jour, reproducteur de compèt' la nuit ! Ah ! J'ai hâte de le taquiner avec ça ! Je ne devrais pas le frapper alors qu'il est à terre mais c'est la première fois que je le vois se planter.

Dante n'est-il pas censé être celui qui a la tête sur les épaules ?

Pour être honnête, ça m'a un peu vexé quand j'ai entendu Papa dire ça. Mais bon, il est évident qu'en écoutant aux portes, on prend le risque d'entendre des choses déplaisantes. En tout cas, cette fois, Dante n'a pas fait marcher sa matière grise. Emma en est la preuve vivante. Et monsieur Playboy ne m'avait pas informé qu'il avait sauté le pas. Quoi qu'il ait dit à Papa, je me demande avec combien de filles il a couché. L'horreur si d'autres filles viennent frapper à la porte avec des bébés.

Quand même, dommage qu'il n'ait pas été amoureux de Mélanie.

Enfin, si je ne veux pas ressembler à un pruneau, je ferai mieux de sortir de la douche. Mais il me fallait au moins ça avec tout ce travail manuel !

17. Dante

Quand Papa est revenu quarante minutes plus tard, il avait le visage crispé et ses yeux projetaient des éclairs.

– Un problème ?

– Ton frère n'a pas arrêté de se plaindre ! Jusqu'à la dernière vis ! a répondu Papa. C'est moi qui ai mal à la tête maintenant.

– Il est où ?

– Sous la douche. Il faut croire que serrer deux boulons et utiliser un tournevis l'a sali !

Papa s'est laissé tomber dans le fauteuil et a regardé Emma qui examinait son nouveau nounours en lui enfonçant les doigts dans les oreilles.

– Tu l'as un peu prise dans tes bras ?

J'ai secoué la tête.

– Non. Elle avait l'air contente avec ses jouets.

– Tu lui as parlé ?

– Pour dire quoi ?

Papa a soupiré.

– Tu dois lui parler. Tout le temps. Comment veux-tu qu'elle apprenne le langage si tu ne t'adresses jamais à elle ?

– Qu'est-ce que je suis censé lui dire ?

– N'importe quoi. Tout et rien. Enfin, pas vraiment n'importe quoi quand même…

J'ai haussé les épaules.

– Oui, je m'en doute. Je ne suis pas complètement stupide !

Quoique la petite chose en train de tripoter les yeux de son nounours était peut-être la preuve que si.

– Je n'ai jamais dit que tu étais stupide, a repris Papa. Il faut que tu arrêtes de tout prendre comme une critique.

– Ah ouais ? Ça va pas être facile !

Une fois de plus, les mots m'avaient échappé. Un peu violemment. Papa a soupiré.

– Je sais que parfois je suis un peu dur avec toi…

– Parfois ! ai-je ricané. Je ne me rappelle même pas la dernière fois où tu m'as félicité ! Quand est-ce que tu as prononcé les mots « bien joué, Dante » pour la dernière fois ?

Et pour la première fois ?

– Et de quoi je devrais te féliciter ? D'avoir couché avec une fille sans réfléchir et d'être devenu père à dix-sept ans ?

– Non Papa, ai-je rétorqué avec humeur, mais un mot d'encouragement de temps en temps serait le bienvenu.

– Je t'encourage et te félicite quand tu le mérites !

– Ah oui ? Mention très bien à mon examen, ça ne mérite pas de félicitations ? Ça ne te suffit pas ?

– Bien sûr que si, a lâché Papa. C'est très bien.

Bon sang !

– Ça va, te force pas surtout !

– Non, je suis sincère. Tu as eu d'excellentes notes et je suis content pour toi.

– Ouais, même avec un télescope super puissant, j'aurais du mal à le voir sur ton visage. Rien de ce que je ferai ne sera jamais assez bien pour toi.

– Tu dis n'importe quoi, a éludé Papa.

– Ah oui ? Je sais ce que tu penses de moi depuis toujours : je ne suis qu'un bon à rien !

– C'est faux, Dante. Mais j'avais de grands espoirs pour toi. Je voulais que tu fasses quelque chose de ta vie. Que tu deviennes quelqu'un !

– Alors que je ne suis qu'un pauvre raté, c'est ça ? Eh bien, je suis désolé, Papa, vraiment, vraiment désolé !

– Ne crie pas quand tu t'adresses à moi, tu…

Emma s'est soudain mise à hurler.

– Emma a raison, est intervenu Adam depuis la porte. Vous entendre vous crier dessus donne vraiment envie de pleurer. On peut savoir ce qui vous arrive ?

Papa s'est levé. Adam s'est dirigé vers Emma mais je l'ai prise dans mes bras avant qu'il arrive jusqu'à elle.

– Ça va, Emma, lui ai-je murmuré. Je suis désolé, ça va, ça va maintenant.

Je la serrais contre moi en lui caressant doucement le dos. Quand j'ai levé la tête, Papa et Adam me dévisageaient.

– Tu veux que je la prenne ? a proposé Papa.

Pour que ça lui prouve que je n'étais décidément qu'un pauvre minable dans tous les domaines ? J'ai secoué la tête.

– J'ai pas besoin de ton aide. Je m'en sors.

Emma bougeait la tête et essayait de regarder par-dessus mon épaule. Il m'a fallu quelques instants pour comprendre pourquoi.

– Ta maman n'est pas là, Emma. Elle est partie et elle t'a laissée… avec moi. Elle n'est pas là. Et elle ne reviendra pas.

– Ne dis pas ça à la petite ! m'a sermonné Papa.

– Pourquoi pas ? C'est la pure vérité ! ai-je riposté. Emma, toi et moi, on est dans le même bateau.

Je ne sais pas si elle me comprenait. Probablement pas. Mais elle s'est un peu calmée et a posé la tête sur mon épaule. J'étais là. Sa mère n'était nulle part en vue. Je venais pour la première fois d'assurer.

18. Dante

Je n'ai pas fermé l'œil de la nuit. Pas par la faute d'Emma, elle ne s'est pas réveillée une seule fois. À ma grande surprise, d'ailleurs. En réalité, c'est la peur qui m'a empêché de dormir. Une peur qui me rongeait de l'intérieur. Peur de l'avenir, de l'inconnu. Une peur comme je n'en avais jamais ressenti auparavant. Je n'ai pas cessé de me lever et de regarder Emma. Une ou deux fois, j'ai passé ma main sur sa joue ou ses cheveux sans vraiment m'en rendre compte. Mais plus je la regardais, plus j'avais peur. Pas pour moi ; pour elle. Elle méritait mieux que ce que je pourrais jamais lui donner. Elle méritait mieux que d'être abandonnée par sa mère. Tellement mieux. Mais personne ne choisit ses parents. On est obligé de faire avec ceux qu'on a.

L'après-midi s'était déroulé d'une étrange manière. Normalement après m'être engueulé avec mon père, je monte m'enfermer dans ma chambre. Dans ces cas-là, Adam reste en bas devant la télé.

Mais pas cette fois.

Papa a monté la chaise haute ; Adam s'est agenouillé devant Emma et lui a fait des grimaces pour la faire rire ; j'ai essayé de me rendre utile en faisant le tri dans toutes les affaires que Papa avait achetées. En réalité, je n'arrivais à rien. Quand Papa a emporté la chaise dans la cuisine, Adam s'est tourné vers moi.

– Bon sang, Dante, c'est quoi ton problème ?

Il s'était radouci après un rapide coup d'œil vers Emma.

– Quoi ?

– Papa fait de son mieux. Tu veux pas au moins faire la moitié du trajet ?

– Non mais tu rigoles... ai-je commencé.

Un miaulement plaintif d'Emma et l'expression angoissée sur son visage m'ont forcé à sourire et à changer de ton moi aussi. J'ai pris une longue inspiration.

– Je suis parfaitement d'accord pour faire la moitié du trajet, comme tu dis, mais il ne fait pas un pas vers moi !

Je parlais presque à voix basse pour ne pas inquiéter Emma.

– Tu l'as entendu me féliciter pour mes résultats d'examen ?

– C'est vrai, a reconnu mon frère en adoptant la même façon chantante et ridicule de parler. Mais je ne t'ai pas entendu le remercier non plus quand il est revenu avec tout ce qu'il fallait pour Emma.

– J'ai dit merci.

– Non, a insisté Adam. Le problème, c'est que Papa et toi vous êtes exactement pareils tous les deux.

– T'es cinglé ou quoi ?

J'étais indigné.

– J'ai rien à voir avec lui !

– C'est ça. T'as raison !

Adam a haussé les épaules et s'est retourné vers Emma pour recommencer ses grimaces. Puis il l'a prise et l'a mise debout.

– Va Emma, va vers ton papa. Allez. Va voir Papa.

Ça m'a fait sursauter. Le mot « papa » me faisait l'effet d'un ongle qui crisse sur un tableau noir. Mon père est revenu dans le salon.

– Tu ne veux pas aller voir Papa ? a repris Adam. Je te comprends.

Il se trouvait très drôle.

– Alors va voir Papi. Tu arrives à dire Papi ?

– Bon sang ! Papi ! s'est exclamé mon père. Je n'ai même pas quarante ans !

Oui, enfin, il avait trente-neuf et demi.

Quand la nuit a commencé à tomber, Adam n'avait pas arrêté de parler une seconde. Papa et moi, c'était exactement le contraire. Nous avons monté les affaires d'Emma dans ma chambre et dans la cuisine sans échanger une phrase. Mais souvent, mon regard revenait en douce se poser sur lui.

Papa...

Jusqu'à maintenant, ce mot désignait une et une seule personne. Quelqu'un qui était toujours là, en arrière-plan, comme un papier peint auquel on est habitué. À présent, l'appellation « papa » avait une résonance profonde en moi. Quand le salon a été enfin débarrassé – hormis quelques jouets et un ou deux livres pour Emma –, nous nous y sommes installés. Je ne sais pas pourquoi Papa et Adam restaient là, mais j'étais soulagé. L'idée d'être seul avec le bébé me rendait un peu nerveux.

Je n'arrivais toujours pas à me faire à ce mot « bébé ».

Papa a allumé la télé et a fait semblant de regarder un jeu quelconque mais il ne quittait presque pas Emma des yeux. Adam, allongé sur la moquette, montrait ses nouveaux jouets à Emma en disant tout ce qui lui passait par la tête. Assis dans le fauteuil, je regardais. L'ambiance a changé quand Emma a commencé à pleurnicher. Puis carrément à pleurer.

– Il faut lui donner à manger, la baigner et la préparer à se coucher, m'a informé Papa.

Devant mon regard paniqué, il a ajouté :

– Au risque de m'en prendre plein la figure, je peux te proposer un peu d'aide.

Il avait utilisé le même ton que celui que j'avais pris pour parler à Emma un peu plus tôt.

Le silence s'est fait. Plus de gazouillis inintelligible d'Emma, ni de blabla incessant d'Adam. Tous deux nous observaient, semblant attendre ce qui allait se passer.

– Oui, s'il te plaît, ai-je marmonné.

Papa a mis sa main en cornet autour de son oreille.

– Pardon ? Je n'ai pas bien entendu.

Ce petit crétin d'Adam s'est mis à rire. Emma a regardé Adam et a commencé à émettre elle aussi un petit rire. Papa a souri et, tout à coup, ça a été l'hilarité générale. Comme si nous venions d'entendre la meilleure blague du monde alors que, franchement, il n'y avait rien de drôle. Je suppose que nous avions tous besoin de décompresser.

Mais bon, ce que j'avais réellement envie de faire n'était pas à l'ordre du jour.

Papa a mis des macaronis au fromage dans le micro-ondes ainsi que des petits pois et des carottes à cuire dans une casserole. Il m'a donné des conseils et m'a supervisé pendant que je mixais le tout avant de le donner à manger à Emma. Il m'a prévenu de toujours goûter la première bouchée pour tester la température, mais bon, je n'étais pas stupide et j'y avais pensé sans lui. À ma grande surprise, Emma a adoré. Je lui ai donné la cuiller pour qu'elle essaie de manger toute seule mais elle en a mis plus sur sa chaise que dans sa bouche. Ensuite Papa m'a expliqué comment lui donner son bain. Il est resté à côté de moi tout du long. J'ai trouvé l'expérience éprouvante et épuisante. J'ai fini aussi trempé qu'Emma qui n'a pas arrêté de m'éclabousser. J'étais terrifié à l'idée que si je clignais des yeux trop longtemps, elle allait glisser et se noyer. Quand enfin, elle a été en pyjama et dans son lit, j'étais exténué. Ce n'était pas seulement de la fatigue physique, mais également nerveuse à cause de toute la concentration nécessaire à chaque seconde.

J'avais du mal à croire que certaines personnes choisissaient d'avoir des bébés.

La coucher avait été le plus difficile. À chaque fois que je l'allongeais, elle se redressait en s'appuyant sur les montants de son lit et commençait à sautiller. Au bout de trois ou quatre fois, elle s'est mise à hurler. Encore.

– Elle ne connaît pas la chambre et n'est pas encore habituée à toi, m'a expliqué Papa.

– Qu'est-ce que je dois faire ?

– Prends-la sur tes genoux et chante-lui une chanson, a-t-il suggéré.

– Une chanson ?

Papa a souri.

– C'est ce que je faisais avec toi.

– Ah bon ?

Première nouvelle.

– Eh oui.

Papa s'est balancé d'un pied sur l'autre, comme regrettant de m'avoir confié ça.

– Mais tu chantes faux !

Papa a levé un sourcil.

– Ça n'avait pas l'air de te déranger à l'époque.

– C'est parce que je ne pouvais pas protester et que je n'y connaissais rien, ai-je rétorqué.

– C'est vrai, m'a accordé Papa de bonne grâce. D'ailleurs, si j'étais toi, je profiterais un maximum d'Emma tant qu'elle est petite. Dans pas longtemps, elle te regardera comme si t'étais juste un vieux schnock complètement débile. Enfin, quand elle prendra la peine de te regarder.

Les mots de Papa ont semblé rebondir dans la pièce.

– C'est comme ça que je suis avec toi ?

– La plupart du temps, oui, a opiné Papa. Mais c'est dans la logique des choses quand les enfants grandissent. Au moins, Adam pense encore que je vaux quelque chose.

Papa et moi nous sommes dévisagés. J'ai baissé les yeux le premier.

– Je vais lui lire une histoire. Je crois qu'elle est déjà assez perturbée. Si je chante, ce sera pire.

J'ai pris Emma dans mes bras et je me suis assis sur mon lit. Je l'ai calée sur mes genoux, le dos contre mon ventre et je me suis penché pour attraper un de ses livres. J'ai ouvert le livre devant nous. Pas si facile.

– Si tu la laisses s'appuyer sur ton bras, vous serez tous les deux plus à l'aise, m'a conseillé Papa. Et elle s'endormira plus vite.

Je me suis exécuté et je dois reconnaître que c'était effectivement beaucoup plus agréable. J'ai lu l'histoire deux fois, en expliquant les images à Emma avant qu'elle s'endorme. Je me suis alors déplacé comme une tortue arthritique pour la reposer dans son petit lit, en priant pour qu'elle ne se réveille pas. En lui tenant la tête comme Papa m'avait montré, j'ai réussi.

La journée était enfin terminée.

Mais la peur était plus présente que jamais.

La maison était plongée dans l'obscurité et tout le monde était couché quand j'ai allumé mon ordinateur qui a baigné mon visage de sa lumière blanche. J'ai tapé quelques mots dans la barre d'adresse, cliqué sur deux ou trois liens et je me suis retrouvé à la page désirée. Je suis resté devant pendant je ne sais pas combien de temps. Bon sang. Je devais le faire. Je ne pouvais pas tirer un trait sur mon avenir. C'était impossible.

J'ai confirmé mon entrée à l'université.

Maintenant, il fallait que je me débrouille pour y aller vraiment.

J'ai éteint l'ordinateur et je suis remonté dans ma chambre sur la pointe des pieds avant de me jeter dans mon lit.

Le sommeil n'a pas tardé à m'envahir et j'ai fermé les yeux en me disant : « Demain, tout sera redevenu normal. » Il suffirait que je me réveille pour effacer cet étrange rêve où je me retrouvais avec sur les bras un bébé tombé du ciel.

19. Dante

Je me suis réveillé au son d'un miaulement plaintif. Comme si le chat des voisins avait un problème. Les yeux fermés, j'ai essayé de repousser le bruit importun. Et puis, je me suis rappelé. Quand j'ai ouvert les paupières, Emma, debout dans son lit, me regardait. J'ai rejeté ma couette et j'ai titubé hors du lit. Quand je me suis approché d'elle, l'odeur m'a submergé. Une odeur ignoble. Écœurante. Pas besoin d'être chercheur à la Nasa pour deviner que j'allais incessamment me retrouver plongé dans le caca jusqu'au cou.

Bon sang ! J'avais pas signé pour ça !

Il devait y avoir un moyen d'y échapper. Je ne pouvais quand même pas me retrouver avec un gosse sur les bras. Un gosse qui n'était peut-être même pas le mien. Les mômes, c'est crade, puant, et beaucoup trop exigeant. Je n'avais vraiment pas besoin de ça. Ma vie était déjà bien assez remplie. Il n'y avait pas de place pour Emma. Pas question de mettre ma vie de côté pour les dix-huit prochaines années. Pas question ! Enfin, pour le moment, fallait que je m'y colle. Mais juste pour le moment.

Dix minutes plus tard, j'avais rempli ma mission, mais Emma pleurnichait toujours.

– Qu'est-ce qui t'arrive maintenant ? ai-je demandé.

L'irritation dans ma voix était évidente. Je l'avais changée, nettoyée et elle n'était pas fatiguée puisqu'elle venait de se réveiller. Alors qu'est-ce qu'elle voulait ?

Elle devait avoir faim. Je l'ai prise dans mes bras à contre-cœur et je suis descendu. Papa, déjà habillé pour le travail – costume et cravate –, était attablé avec Adam.

– Coucou Emma ! a souri mon frère.

– Bonjour mon ange, a lancé Papa.

Sûr qu'ils ne s'adressaient pas à moi. Bon, ben salut à vous aussi, les gars !

– J'ai préparé du porridge, m'a annoncé Papa. Le tien est dans le micro-ondes, celui d'Emma en train de refroidir sur le plan de travail.

J'ai installé Emma dans sa chaise haute.

– J'ai pas faim. Tu peux t'en occuper, s'il te plaît ? Je retourne dans ma chambre.

– Oh, non ! m'a rattrapé Papa. Sûrement pas sans ta fille.

– Quoi ?

– Là où tu vas, elle va, a continué Papa d'une voix glaciale. Pas question que tu la confies à droite à gauche quand tu en as envie.

Papa et moi avons échangé un regard d'antagonisme mutuel. Mais son expression était aussi facile à lire qu'un livre d'Emma. Si je remontais maintenant, il mettrait un point d'honneur à me ramener Emma dans les cinq secondes. Avec un soupir, j'ai rempli de porridge une des petites assiettes que Papa avait achetées la veille pour Emma. J'ai pris la petite cuiller assortie et j'ai testé pour savoir si ce n'était pas trop chaud. Je l'ai aussitôt regretté. C'était horriblement fadasse.

– C'est quoi ce truc ?

– C'est probablement sans sel. Les enfants de l'âge d'Emma ne doivent pas manger trop salé, m'a répondu Papa.

Mon bol de porridge m'attendait. J'étais prêt à le couvrir de sirop d'érable avant de l'avaler. J'étais affamé. J'ai posé l'assiette d'Emma devant elle, je lui ai donné sa petite cuiller et je suis allé allumer le micro-ondes.

– Attention ! a crié Papa.

Je me suis retourné juste à temps pour exécuter un plongeon dont un gardien de but de première division aurait été fier. Mais pas assez vite. Le porridge d'Emma est tombé par terre, suivi une nanoseconde plus tard par son assiette. Sa petite cuiller a atterri sur ma tête.

Silence.

Et puis explosion.

Papa et Adam riaient comme des cinglés. Emma hurlait. Moi, je commençais déjà à avoir mal à la tête et pas seulement à cause de la petite cuiller.

– Voilà ce qui arrive quand tu tournes la tête une seconde avec un bébé, m'a lancé Papa après s'être enfin arrêté de rire.

J'ai nettoyé le sol avec une éponge. Papa s'est levé et a remis de la préparation pour porridge et du lait dans une casserole sur le feu. Adam a sorti Emma de sa chaise haute et l'a câlinée.

Tout ce que j'arrivais à me dire, c'était : «Et je suis censé faire tout ça, tout seul ?» Comment m'y serais-je pris, si j'avais dû nettoyer le sol, repréparer le petit déjeuner et consoler Emma ? C'est à ça que Mélanie était confrontée tous les jours depuis la naissance de sa fille ?

– Ça va, ma chérie, ça va, murmurait Adam.

– Tu veux me la donner ? a demandé Papa en ouvrant grand les bras.

– Non, c'est bon, a refusé Adam.

Papa a laissé retomber ses bras à contrecœur. Et j'ai de nouveau ressenti cette douleur au creux de l'estomac. Je me suis redressé lentement. La moitié du porridge était encore par terre mais je m'en fichais. Qu'est-ce qui se passait dans la tête d'Adam et de Papa ? Ils mangeaient, discutaient, riaient comme si rien n'avait changé. J'avais l'impression d'être tombé dans le terrier du lapin blanc d'Alice.

– Pourquoi vous êtes comme ça ? ai-je demandé.

– Comme quoi ?

– Comme si tout était normal.

J'ai montré Emma du doigt.

– Comme si l'avoir avec nous était la chose la plus banale du monde.

Papa m'a fusillé du regard.

– Dante…

– Quoi ?

Je n'essayais même pas de dissimuler mon amertume.

– Je me retrouve avec un bébé sur les bras, ma vie part à la poubelle et vous, vous vous comportez comme s'il n'y avait aucun problème. Merci beaucoup !

– Quelqu'un s'est levé du pied gauche ! a lancé Adam.

J'ai fait un pas vers lui. Papa s'est interposé entre nous.

– Calme-toi, Dante.

– Merde ! ai-je lancé. Vous agissez comme s'il n'y avait rien de grave.

– Et que veux-tu qu'on fasse ? Qu'on pleure, qu'on crie, qu'on casse tout, qu'on donne des coups de pied dans les portes ?

– Elle n'a rien à faire ici ! ai-je crié.

– Elle est à toi, a calmement rétorqué Papa.

Il ne m'écoutait pas. De toute façon, il ne m'écoutait jamais. Emma pleurait toujours. Sa lèvre inférieure tremblait et elle me regardait comme si elle avait peur de moi. C'est ce regard qui m'a vaincu. Peut-être que Papa et moi on ne s'entendait pas mais je ne l'avais jamais regardé de cette façon. J'ai fermé les yeux et j'ai pris une longue inspiration. Quand j'ai enfin pu me remettre à parler, j'ai rouvert les yeux et dit :

– Ne t'inquiète pas, Emma. Je nettoie tout ça et Papi va te refaire du porridge, d'accord ?

Elle s'est visiblement détendue.

– « Papi ». Va falloir que je m'habitue, a grommelé Papa. Rien de pire que les gosses pour vous donner l'impression d'être vieux.

Ma colère s'atténuait. Elle n'était plus maintenant qu'une brise acide, étouffante et corrosive. Il fallait que je me reprenne. Que je patiente. Quelques jours au maximum, et ma vie reprendrait son cours normal. Je pouvais bien tenir quelques jours de plus.

Tout en nettoyant le carrelage, j'espionnais discrètement mon père. Quand je me préparais du porridge, il me suffisait de mélanger les céréales au lait et de noyer le tout dans le sirop. La version pour bébé semblait un rien plus compliquée.

– Pourquoi tu as acheté du lait de chèvre ? ai-je demandé en remarquant la brique dans la main de Papa.

– Plus facile à digérer pour un bébé que le lait de vache, m'a renseigné Adam avant que Papa ait le temps d'ouvrir la bouche.

Devant mon air ahuri, il a expliqué :

– Quoi ? Je me suis un peu renseigné hier soir.

– Pourquoi ?

– Au cas où un arbre te tomberait dessus et que je sois obligé de te remplacer ! Tu sais que je prévois toujours le pire scénario. Comme ça, je ne me laisse pas surprendre.

J'ai secoué la tête.

– T'es vraiment bizarre, Adam.

Les pires scénarios qu'il imaginait n'étaient pas seulement étranges, ils étaient complètement loufoques.

Bon, on la refait.

Cette fois, le petit déjeuner d'Emma s'est beaucoup mieux déroulé. Après avoir testé la température, je lui ai donné cuiller après cuiller. Et elle a semblé adorer ça. Mais à chaque

nouvelle cuillerée, la journée à venir me semblait plus angois-
sante.

– Tu rentres à quelle heure, Papa ?

Mon père a haussé les épaules.

– C'est le pot de départ de Louise ce soir. On se retrouve tous
au pub. Je ne serai pas là avant 10 heures.

– Je vois.

– Pourquoi ?

– Rien.

Mais ce n'était pas rien. C'était tout le contraire. J'allais passer la journée et la soirée tout seul avec Emma et je n'avais
aucune idée de ce que je devais faire avec elle. Avec la meilleure
volonté du monde, je ne voyais pas comment intégrer un bébé
dans tout ce que j'avais envie de faire aujourd'hui. Et demain.
Et tous les autres jours de ma vie.

– Je vais au centre commercial avec Ramona, tout à l'heure,
est intervenu Adam.

– Oh non, a soupiré Papa. Et tu vas acheter quoi, cette fois ?

– Des trucs pour l'école, a répondu mon frère comme si cette
fable était crédible.

– Mouais, a râlé Papa. J'y croirai quand je le verrai. En tout
cas, ne dépense pas de l'argent que je n'ai pas !

– Comme si c'était mon genre.

– C'est ça, a grommelé Papa.

Donc Adam ne serait pas là non plus. J'ai regardé Emma
et j'ai nerveusement passé ma main dans mes cheveux.

Qu'est-ce que je vais bien pouvoir faire ?

Papa a soupiré.

– Je pourrai t'aider avec Emma ce week-end, Dante, mais là,
il faut vraiment que je retourne au travail.

– Je sais, Papa, ai-je répondu.

Papa m'a observé attentivement pendant un moment, puis il s'est levé et a desserré sa cravate.

– OK, Dante. Je vais téléphoner et donner une excuse quelconque mais c'est la dernière fois.

– C'est vrai ?

J'ai jeté un regard en coin à Adam avant de me retourner vers Papa.

– Merci. C'est vraiment… merci beaucoup.

– Mouais, a maugréé Papa.

Mais ça m'était égal. Je n'allais pas me retrouver tout seul.

– Je vais quand même au pot de départ de Louise, ce soir, a prévenu mon père. Pas question que je rate ça. Emma devrait dormir à l'heure où je vais sortir et je ne serai absent qu'une heure ou deux. D'accord ?

– D'accord. Pas de problème. Merci Papa.

À cet instant, toute aide était la bienvenue, quelles que soient les conditions.

La journée s'est déroulée sans problème majeur. J'ai dû changer Emma qui avait renversé tout son porridge sur son pyjama et Papa m'a aidé à m'organiser. On change la couche, on petit-déjeune, on joue, on dort, on change la couche, on mange, on joue, on change la couche, on dîne, on joue, on prend un bain, on change la couche, on dort.

– C'est comme ça qu'on faisait avec toi et ton frère, m'a expliqué Papa. J'avais fait un emploi du temps de façon à savoir quoi faire à chaque moment de la journée.

Ça me semblait un peu rigide mais si ça marchait… Et ça me permettait de m'y retrouver. Dans la journée, Josh et d'autres copains ont appelé pour me demander mes résultats d'examen et discuter de la fête. Je crevais d'envie de papoter avec eux mais il fallait que je m'occupe d'Emma. J'ai promis à chacun de le rappeler plus tard. L'idée de cette fête était comme une oasis, le faible éclat de normalité auquel je me raccrochais.

Dans l'après-midi, Papa a suggéré que je sorte Emma dans sa poussette, mais je n'étais pas prêt pour ça. Le seul point positif, c'était qu'Emma s'était habituée à mon visage et elle n'avait plus cette mine effrayée quand je la prenais dans mes bras.

La journée est passée en un clin d'œil. Tout à coup, il a été l'heure pour Papa d'aller rejoindre ses amis.

– Tu es sûr que ça va aller ? m'a-t-il demandé, la main sur la poignée.

J'ai acquiescé.

– Pas de problème. Amuse-toi bien. Passe le bonjour à Louise de ma part.

Je l'avais rencontrée deux fois et elle était sympa.

– Emma a pris son bain et est prête à aller se coucher. Tu n'as plus qu'à lui lire une histoire jusqu'à ce qu'elle ferme les yeux. Je ne rentrerai pas tard. Si tu as besoin, appelle-moi.

– Ça va aller, Papa, ai-je promis.

J'ai attendu quelques secondes après son départ et je suis retourné dans le salon. Adam faisait rouler le ballon d'Emma vers elle. Elle gazouillait de plaisir.

– Adam, tu peux surveiller Emma pour moi ? Je dois aller me changer.

Mon frère a froncé les sourcils.

– Pour quoi ?

– La fête de fin d'année au Bar Belle, lui ai-je rappelé. Ça commence dans moins d'une heure.

– Envoie un texto à Josh et aux autres pour leur dire que tu ne peux pas y aller.

– T'es cinglé ? C'est ma dernière occasion de revoir la moitié d'entre eux ! Ça va être génial. Je ne manquerai ça pour rien au monde.

J'ai jeté un coup d'œil à Emma qui, peu intéressée par mes états d'âme, jouait avec les animaux de ferme en plastique que mon père lui avait achetés.

– Et Emma ?

– Quoi, Emma ?

– Tu ne vas quand même pas la laisser ici toute seule ? s'est exclamé Adam, scandalisé.

– Bien sûr que non ! Tu es là, toi. Tu peux la garder.

– Moi ? Ah non, désolé mais je dois retrouver des amis au Bar Belle… d'ailleurs, a-t-il ajouté en regardant sa montre, il ne me reste que quarante minutes pour me préparer ! Je ferais mieux de m'y mettre !

Il s'est levé comme un ressort.

– Attends !

Je l'ai attrapé par le bras. Pas le choix, il était déjà presque sorti du salon.

– Je te paye !

Adam a secoué la tête.

– Je sors. C'est pas moi qui ai un gosse sur les bras et une vie réduite à néant !

J'ai dû me mordre la lèvre pour ne pas être grossier. Les mots qu'il venait de prononcer faisaient mal mais je ne voulais pas qu'il sache à quel point.

– Adam ! C'est ta nièce !

– Et c'est ta fille, a rétorqué mon frère. Je pense que c'est encore plus important.

– S'il te plaît. Tu peux voir tes amis n'importe quand, toi !

Je n'étais pas prêt à abandonner.

– Cette fête est pour moi la fin d'une ère, ai-je insisté. Un truc qu'on ne célèbre qu'une fois dans sa vie !

– Dante, il est hors de question que je change mes plans.

– Même pas pour ta nièce ?

Adam a souri à Emma.

– Bien essayé, mais à plus tard. Bonsoir Emma. Surveille bien ton papa !

Et là-dessus, il a quitté la pièce.

Mais si lui ou Papa ou qui que ce soit pensait que j'allais rester à la maison, il se mettait le doigt dans l'œil. Pas question de rester enfermé ce soir.

Après tout, il me suffisait d'emmener Emma avec moi.

20. Dante

J'ai commencé à me demander si c'était vraiment une bonne idée en approchant du Bar Belle. J'avais mangé là des centaines de fois auparavant et l'ambiance y était toujours géniale. Mais maintenant que j'y réfléchissais, je n'y avais jamais vu personne avec un bébé. Emma dormait dans le porte-bébé, le visage enfoui contre ma poitrine mais je ne pouvais pas garantir qu'elle ne se réveillerait pas. Il était à peine 7 heures et demie, pourtant en regardant par la fenêtre, j'ai découvert que le bar était déjà bondé. Adam n'était pas en vue, ce qui m'arrangeait. Avec un peu de chance, il ne me verrait pas entrer. Je me contenterai d'un bref salut à mes potes, d'un verre ou deux peut-être et je rentrerai à la maison.

Après avoir vérifié qu'Emma était toujours assoupie, je suis entré. L'odeur de bière, de vin, de parfum et d'aisselles – pas forcément très propres – m'a heurté de plein fouet. Ensuite est venu le bruit : des discussions, des rires et une musique de fond un peu jazzy, un tintement de verres, une porte qui claque... tout m'a semblé horriblement sonore. Et pour parvenir à la salle de restaurant, je devais traverser le bar. J'ai donné un coup d'œil anxieux à Emma. L'heure de son coucher était passée depuis longtemps et elle dormait profondément, mais combien de temps cela allait-il durer ?

– Dante ! On est là !

La voix de Colette a dominé le brouhaha ambiant. En me retournant, je l'ai vue, debout, qui me faisait signe. Josh, Logan et au moins sept autres de la bande avaient investi un des coins du restaurant. Ils avaient pris place à une grande table qui était déjà couverte de verres et de tapas. Colette était très jolie, comme d'habitude. Elle portait un T-shirt vermillon et un jean noir. Le sourire qu'elle m'adressait faisait briller ses grands yeux bruns en amande. Ses nattes étaient ramenées en arrière et un long pendant d'oreille en forme de goutte dorée étincelait sur sa peau. Mon copain Josh était assis près d'elle. Il avait comme toujours enduit chaque millimètre de ses cheveux de gel et il tenait sa bouteille de bière comme on enlace une vieille amie qu'on vient de retrouver. À l'éclat un peu vitreux mais heureux de ses yeux bleus, il n'était pas difficile de deviner que ce n'était pas sa première.

J'ai de nouveau jeté un coup d'œil à Emma. Quelle explication allais-je leur donner ? Ma décision de l'amener commençait à puer plus fort qu'une couche sale. Je m'étais mis dans une situation pour le moins... compliquée. Je me suis dirigé vers Colette et les autres.

– Hey ! Salut mon pote ! a lancé Josh.

– Salut ! ai-je souri.

– Qu'est-ce que...

Josh n'a pas été le seul à pousser une exclamation et écarquiller les yeux en découvrant ce que je portais.

– Alors, ça va tout le monde ? ai-je demandé à la ronde comme si tout était parfaitement normal.

Josh s'est poussé pour que je puisse m'asseoir entre Colette et lui.

– Salut Colette, ai-je soufflé en me penchant vers elle.

Elle s'est penchée vers moi pour m'embrasser mais le bébé entre nous l'en a empêchée.

– Qu'est-ce que c'est que ça ? s'est écrié Josh en désignant le porte-bébé.

– À ton avis ? ai-je répliqué. Ça ressemble à une pomme de terre ?

– T'as amené un bébé ? s'est informé Logan.

Logan était un type à la musculature sèche. Il courait au moins dix kilomètres par jour avant ou après l'école et il était en super forme physique. Et il faisait ce qu'il faut pour que tout le monde le sache.

– Tu fais du baby-sitting ou quoi ?

– Tu t'es fait coincer ?

– T'as amené un gosse ici ?

Les questions bourdonnaient autour de moi comme des mouches au-dessus d'un cadavre.

– C'est un garçon ou une fille ?

– Il dort ?

– Il ne va pas vomir ou faire caca à table, j'espère !

– Je pense que Josh sait quand même se tenir mieux que ça ! ai-je répondu à la question horrifiée d'Amy.

– Hey ! a protesté Josh.

– Il est à qui, ce gamin ?

La question que je craignais le plus. Et c'est Colette, ma petite amie, qui l'avait posée.

– C'est euh… c'est une parente. C'est-à-dire, enfin… euh, voilà, elle est de ma famille. Et oui, j'étais censé la garder mais je ne voulais surtout pas manquer la fête.

J'ai débité ça comme un débile.

– Comment elle s'appelle ?

– Mais pourquoi tu l'as amenée ?

– Elle est trop mignonne !

– Quel âge elle a ?

J'ai choisi de répondre à la question la plus facile.

– Elle s'appelle Emma.

– Eh, Dante !

Adam. Sa voix venait de derrière moi. Mon cœur a fait un bond.

– C'est pas vrai ! Tu as amené Emma ?

– Oui, et alors ?

J'ai tourné ma chaise, le défiant du moindre commentaire.

– Comment ça se fait que Dante est coincé avec un bébé et pas toi ? a voulu savoir Colette.

J'ai plongé mes yeux dans ceux de mon frère en essayant d'y mettre toute la menace que je ne pouvais pas exprimer à voix haute. Le message a dû passer parce que même s'il n'a pas du tout eu l'air impressionné, il s'est gardé de répondre. Je ne voulais pas vraiment cacher la vérité. J'avais l'intention de parler d'Emma à mes amis mais chaque chose en son temps.

– Qu'est-ce qui t'amène ? ai-je demandé à mon frère.

Je me fichais totalement de sa réponse, j'essayais juste de changer de sujet.

– Mes amis ne sont pas encore arrivés, a répondu Adam en caressant la joue d'Emma du bout du doigt. Je peux les attendre avec vous ?

– Ça va pas non ! s'est emballé Josh. C'est une fête privée. T'es pas invité.

Wouah ! Je n'avais aucune envie d'avoir mon frangin dans mes basques mais la véhémence de Josh était proche de la méchanceté.

– Dante, dis à ton frère de se tirer, a ordonné Josh. On veut pas de lui ici.

J'ai haussé un sourcil.

– T'as entendu ? a surenchéri Logan. Casse-toi !

– Attendez… ai-je commencé.

– Quoi ? m'a défié Logan.

J'ai ouvert la bouche pour protester mais mon frère a été plus rapide.

– C'est bon, Dante. C'est pas grave.

Adam a posé la main sur mon épaule.

– On se voit plus tard, a-t-il ajouté.

J'ai levé les yeux vers lui mais il fixait Josh. Tous les deux avaient la même expression belliqueuse. Puis Adam a tourné les talons et s'est éloigné.

– Eh, Josh! ai-je lancé. C'est à mon frère que tu parlais là!

– Et alors?

– Et alors, si quelqu'un doit lui dire de se tirer, c'est moi et personne d'autre. Et ça vaut pour toi aussi, Logan.

– Désolé mais je le trouve craignos, ton frère, a commenté Josh.

Quoi?

– C'est quoi cette histoire? ai-je demandé lentement.

Un silence gêné a pesé comme du plomb sur tout le groupe. Contre ma poitrine, Emma commençait à bouger.

– Alors? ai-je insisté.

– Je le trouve craignos, c'est tout, a répété Josh. C'est sa façon de toujours nous tourner autour, de mater tout le monde…

Mater? Qu'est-ce que c'était que ces conneries?

– Et puis merde, Dante. On n'a pas envie qu'un gamin s'assoie à côté de nous! est intervenu Logan.

Je l'ai regardé, puis j'ai regardé Josh et de nouveau Logan. Parlaient-ils de gamins en règle générale ou de mon frère en particulier? Et pourquoi est-ce que je ne posais pas directement la question? Avais-je peur de la réponse?

Josh et moi étions amis depuis le collège. J'avais dix ans, Josh onze. Logan s'était joint à nous en seconde. À ma grande surprise, Josh avait eu l'air de beaucoup l'apprécier. Depuis, il était tout le temps avec nous. Mais il y avait un truc bizarre ce soir. Un truc qui empêchait Josh de me regarder dans les yeux.

– OK, Josh, c'est quoi le problème?

Il a haussé les épaules.

– Rien. C'est bon, Dante, t'as pas plus envie que moi que ton frère s'assoie avec nous !

– Vous devriez vous calmer, les garçons, a prévenu Colette, vous allez réveiller le bébé.

Un peu tard pour s'en inquiéter : Emma gigotait déjà sur mon ventre. Elle a ouvert les yeux, a regardé autour d'elle, a levé les yeux vers moi et… s'est mise à hurler.

Bon sang !

J'ai détaché le porte-bébé pour essayer de la bercer mais la musique était trop forte, les rires trop bruyants, les lumières trop éblouissantes et l'odeur de bière trop écœurante. Je percevais soudain le monde à travers les yeux d'Emma. Et c'était horrible. Insupportable. Comme un ongle sur un tableau noir.

Je n'avais pas apporté son sac et je n'avais donc pas de nourriture, pas de couche et pas de livre. Rien. Ma propre bêtise m'est tombée dessus comme un coup de masse.

– Ça va aller, Emma. Je te ramène à la maison, ai-je murmuré à son oreille alors qu'elle s'accrochait à mon T-shirt.

Je n'aurais jamais dû l'amener. Jamais. Quelle idée stupide. Complètement stupide.

– Qu'elle est moche ! s'est mis à rire Logan en la voyant pleurer.

Mon sang s'est glacé dans mes veines. Rien qu'une seconde. Une éternité. J'ai regardé Emma, son visage chiffonné et rouge, ses yeux plissés par le désespoir. Adam avait raison. Elle était… très belle.

Magnifique même.

Je me suis levé et je l'ai doucement replacée dans le porte-bébé en tournant un peu sa tête pour qu'elle soit à l'aise contre mon cœur.

– Premièrement, Logan, personne n'est à son avantage quand il pleure, deuxièmement et écoute bien : si tu oses dire encore une fois de ma fille qu'elle est laide, je te refais le portrait.

Silence stupéfait.

J'ai toisé Logan. Je n'avais pas élevé la voix ni parlé sur un ton menaçant, mais il savait que j'avais pesé chaque syllabe. Il suffisait de le regarder. Il avait une tête de fouine et un éclat sournois allumait en permanence son regard. Et il avait le culot de dire qu'Emma était moche ! J'ai relevé la tête. Tout le monde me fixait.

Bon, eh bien, ils étaient tous au courant maintenant. Même si je n'avais pas tout à fait prévu de leur annoncer comme ça.

– Ta fille ?

Colette a été la première à retrouver sa voix.

– Oui.

– Ta fille ? a répété Josh.

Mes amis me lorgnaient comme si je venais de descendre d'un vaisseau spatial. Et puis Josh a éclaté de rire.

– Ahaha ! Elle est bonne, Dante ! Tu nous as bien eus !

Quelques autres ont ri à leur tour. Mais pas la majorité. Ils ne me lâchaient pas des yeux comme un acteur en attente de sa réplique. Il m'aurait suffi de crier : « Oui, je vous ai bien eus ! » et ils se seraient tous tordus de rire. Une petite phrase et j'étais sauvé. Emma aurait été mon secret. Un secret bien gardé… Je l'ai regardée. Elle avait le visage levé vers moi et pleurait toujours. Je l'ai embrassée sur le front avant de me tourner vers Colette. J'aurais voulu lui dire tant de choses, lui expliquer… Pour une fois, juste une fois ma vie n'aurait-elle pas pu se caler sur mes plans ?

– Emma est ma fille et je la ramène à la maison. Bonne soirée, tout le monde.

J'ai tourné les talons et me suis dirigé vers la porte. Derrière moi, un chœur d'exclamations et de questions s'est élevé. Je n'ai même pas ralenti.

– Attends, Dante !

Je n'avais pas encore posé un pied sur le trottoir que Colette était à mes côtés. Ses yeux allaient de moi à Emma.

– Tu... Ce n'était pas une blague ?

Je n'ai pas répondu. Si c'était une blague, j'en étais la victime, pas l'instigateur.

– Qui est la mère ?

Pause.

– Mélanie Dyson.

– Mel ?

Les yeux de Colette se sont rétrécis et elle a craché :

– Pendant tout ce temps, tu as continué de sortir avec Mélanie dans mon dos ?

– Tu sais très bien que je ne ferais jamais une chose pareille. Mel et moi nous sommes séparés après la fête chez Rick. Il y a presque deux ans. Et comme vous tous, je n'ai jamais eu de ses nouvelles... Enfin, je n'en avais jamais eu avant...

Colette a montré Emma du doigt.

– Quel âge a cette chose ?

J'ai haussé un sourcil.

– Emma a... onze mois. Elle aura un an le mois prochain. Et ce n'est pas « cette chose ».

– D'accord, désolée. Mais je ne comprends pas. Pourquoi ne m'avais-tu jamais dit que tu avais une fille ?

– Je ne le sais que depuis hier. Mel est venue à la maison et elle m'a laissé Emma.

– Vous êtes à nouveau ensemble ?

– Non.

Colette arborait son ébahissement choqué comme une robe fluorescente. Je ne pouvais pas lui en vouloir. J'aurais dû être au Bar Belle, avec une bière glacée, en train de fêter mes résultats d'examen avec elle et mes autres amis. J'aurais dû être en train de réfléchir à des projets d'avenir, à l'université, à la vie qui s'ouvrait devant moi. Aujourd'hui mon horizon était rempli d'Emma. De rien d'autre. Les rires provenant de l'intérieur du bar semblaient se moquer de moi. J'avais envie de partir loin d'ici.

– Tu savais que Mel était enceinte ?

– Non.

– C'est pour ça qu'elle a brusquement quitté le lycée ?

– Je suppose.

Je n'étais pas d'humeur à répondre à un interrogatoire. Les éclats d'hilarité commençaient à vraiment me porter sur les nerfs.

– Où est Mel ? Pourquoi n'est-elle pas venue ce soir ?

– Elle est partie.

– Partie ?

– Oui, partie. Elle est partie vivre avec des amis et elle m'a laissé Emma sur les bras. Elle n'en voulait pas plus que moi et maintenant, je suis coincé avec elle.

Ces mots amers étaient à peine sortis de ma bouche que je les regrettais déjà. Depuis que nous avions quitté le restaurant, Emma avait cessé de pleurer mais elle était toujours éveillée. J'ai fermé les yeux. Bon sang ! Je n'aurais pas dû dire ça. Encore moins devant elle.

Bon sang.

Pardon, Emma…

Cette boule douloureuse dans ma gorge avait réapparu, m'empêchant de respirer.

– Il faut vraiment que j'y aille maintenant, ai-je lâché.
Je t'appelle demain.

– Je peux passer si tu veux ? a proposé Colette.

– D'accord. Passe demain. Si tu veux. À plus.

Je me suis éloigné. Je devais ramener Emma à la maison.
Je devais ramener ma fille à la maison.

21. Adam

Josh est un connard. Si l'apparence des gens reflétait ce qu'ils sont réellement, Josh serait comme le portrait de Dorian Gray. C'est un horrible petit crapaud venimeux. Je sais parfaitement pourquoi il a refusé que je m'assoie à leur table. Ce n'était pas difficile à deviner. Dès qu'il m'a vu, il a fait la gueule. Dante n'était pas encore arrivé et Josh en a profité pour sortir une de ses blagues pourries soufflées par Logan, son pote à tête de fouine. Ce type se croit vraiment au-dessus des autres avec ses fringues de marque et son père producteur de musique qui a eu deux pauvres succès au temps de l'âge de pierre. C'est vrai quoi, tout le monde s'en tape, hormis Logan. Josh balance les saloperies et Logan ricane comme un débile. Connard ! Josh serait pas si débile s'il ne traînait pas avec Logan, mais après tout, c'est son problème. Je n'allais pas les laisser gâcher ma soirée.

Je me suis dirigé vers le bar. J'avançais comme un escargot entre les gens agglutinés dans la salle. C'était mon tour de me faire servir mais il aurait fallu qu'un des barmans me remarque au milieu de la foule. J'ai carré les épaules et essayé d'attirer l'attention de l'un d'entre eux. Dante était cinglé d'avoir amené Emma. Mais je ne le voyais plus nulle part. Peut-être qu'il était sorti. J'avais déjà vérifié dans les toilettes, pensant qu'Emma avait peut-être eu besoin d'être changée. Mais mon frère ne s'y trouvait pas. Il fallait espérer qu'il avait retrouvé son sens commun et ramené sa fille à la maison.

– Ils servent ceux de ton espèce ici ? a susurré une voix à mon oreille.

J'ai fait volte-face, sachant parfaitement de qui ça venait.

– Comment tu arrives à te tenir debout sans faire traîner tes poings par terre ? ai-je répliqué avec dédain.

– Hein ?

– Exactement !

Je me suis retourné et j'ai agité mon billet pour tenter de me faire servir.

– Tu te crois malin ? m'a soufflé Josh.

– Oui, et beau et intelligent, ai-je répondu en tournant à peine la tête. C'est important aussi.

Silence.

Soudain, à ma grande surprise, Josh a éclaté de rire.

– Tu te prends vraiment pas pour de la merde, hein ?

– Non. Et y a un paquet de gens qui sont de mon avis.

Il a ri encore plus fort. Je me suis entièrement retourné, sourcils froncés. Il me souriait ! Pourquoi ? C'était quoi son problème ?

Il mijotait quelque chose.

– Qu'est-ce que tu bois ? m'a-t-il demandé.

– Pourquoi ?

– Parce que je veux te payer un verre, a répondu Josh.

J'ai plissé les paupières.

– D'après la démangeaison de mes pouces...

– Quoi ? Hein ? Qu'est-ce qu'ils ont, tes pouces ?

– Laisse tomber. C'est une citation de Shakespeare.

– Et pourquoi tu cites Shakespeare ? a grogné Josh.

D'après la démangeaison de mes pouces, il vient par ici quelque maudit. Voilà la citation en entier. Mais je n'étais pas assez stupide pour l'énoncer. Je suis resté sur mes gardes.

J'étais persuadé que Josh mijotait quelque chose.

22. Dante

La porte de ma chambre s'est ouverte deux secondes avant que je me frappe la tête dessus. Emma hurlait dans mes bras.

– Qu'est-ce qui se passe ? a soupiré Papa d'une voix épuisée.

– Je venais te voir, ai-je reconnu à voix basse. J'ai besoin de ton aide. Emma n'arrête pas de pleurer. Ça me tue.

– Elle n'a pas faim ?

– Non. J'ai essayé de lui réchauffer du lait mais elle n'en a pas voulu. Sa couche est propre et j'ai vérifié son lit au cas où quelque chose dedans lui aurait fait mal. Pourquoi elle hurle comme ça ?

– Dante, ta fille ne peut pas encore parler. C'est sa seule manière de te faire comprendre que quelque chose ne va pas.

– Mais comment est-ce que je suis censé la comprendre ? Je ne suis pas télépathe !

– Tu n'as pas besoin d'être télépathe. Il te suffit de bien l'écouter. Ta mère disait toujours que ton frère et toi ne pleuriez pas de la même façon en fonction de ce que vous vouliez. D'après Jenny, vos cris étaient plus aigus quand vous aviez faim, plus pleurnichards quand vos couches étaient sales. Peut-être que c'est un truc de femme ou de mère, parce que moi, je n'ai jamais fait la différence.

Bon sang ! La dernière chose dont j'avais besoin à 2 heures du matin, c'était une balade dans les souvenirs de mon père.

– Ça m'aide vachement, ce que tu dis, l'ai-je rembarré. Je ne sais toujours pas ce qu'elle a !

– En revanche, si je n'avais pas l'oreille experte de ta mère, j'avais une autre méthode. Je vérifiais tout. Je regardais vos couches, j'essayais de vous donner à manger, je m'assurais que vous n'aviez ni trop chaud ni trop froid, que vous n'aviez pas soif. Tu dois procéder par élimination.

– Mais ça va me prendre un temps fou !

– Et tu es pressé d'aller faire quoi, au juste ? s'est renseigné Papa, sourcils levés.

– Dormir, ai-je gémi.

À cet instant, j'aurais payé pour pouvoir tomber dans les bras de Morphée.

– Eh bien, à moins que tu ne veuilles passer ta nuit à la promener dans ta chambre, je te suggère de découvrir ce qu'elle a. Passe-la-moi.

Avec joie. Je lui ai tendu Emma et j'ai laissé retomber mes bras fatigués. Papa a posé sa main sur le front d'Emma, puis sur ses joues.

– Hmmmm...

– Quoi ? Qu'est-ce qu'il y a ?

Je me suis senti soudain inexplicablement anxieux.

– Elle est un peu chaude et elle bave comme un escargot, a répondu Papa. Attends, mon trésor, je vais juste vérifier tes gencives.

Du bout de l'index, Papa a tâté les gencives d'Emma.

– Elle a besoin d'un médecin ? Il faut que j'appelle ?

– Non, a souri Papa. Elle fait ses dents, c'est tout.

Il m'a rendu Emma.

– Je reviens tout de suite.

Il s'est éclipsé et est revenu en agitant un tube.

– Du gel apaisant ! Alors, tu n'es pas content que je sois allé faire toutes ces courses ?

Content ? J'étais prêt à me prosterner devant lui.

– Assieds-toi et cale-la sur tes genoux, m'a-t-il demandé. Tu vas lui en appliquer un peu.

– Il n'y a pas de risque ?

Papa m'a jeté un regard du genre qu'on jette aux crétins.

– J'ai vérifié, Dante. Et puis, je te rappelle que j'ai déjà fait ça une fois ou deux.

– D'accord, ai-je grommelé. T'es pas obligé de m'égorger pour autant.

– C'est prévu pour des enfants de plus de deux mois, m'a informé Papa. Est-ce que tes doigts sont propres ?

– Évidemment.

Papa a mis du gel sur mon index et m'a regardé en badigeonner doucement les gencives d'Emma. J'ai senti les petites bosses, là où ses dents s'apprêtaient à sortir. Emma me mâchouillait le doigt mais ça ne me faisait pas mal. Je suppose qu'elle avait autant envie que moi que ses dents cessent de la faire souffrir.

Papa est resté encore cinq minutes jusqu'à ce qu'Emma se calme et finisse par s'endormir. Me déplaçant comme un zombie, je l'ai redéposée dans son berceau et l'ai couverte jusqu'à la taille. Et puis je suis tombé dans mon lit, trop fatigué pour faire quoi que ce soit d'autre.

– Bonne nuit, mon fils.

J'ai vaguement senti ma couette se poser sur moi.

– Bonne nuit, P'pa, ai-je marmonné.

Et je me suis endormi comme une masse.

– Allez, Emma, encore une bouchée ou deux, ai-je tenté.

Mes paupières étaient en plomb. Beaucoup trop lourdes pour que je les tienne ouvertes.

– Allez, Emma, ouvre la bouche.

J'agitais ma cuiller devant ses lèvres fermement closes.

– Voilà l'avion !

Mais elle s'en fichait totalement et je ne pouvais pas lui en vouloir. Elle était probablement aussi fatiguée que moi mais si elle ne mangeait pas, toute mon organisation de la journée était fichue. Je savais que j'étais censé me montrer flexible avec un si jeune enfant, mais la flexibilité et la fatigue ne faisaient pas bon ménage. J'avais l'impression d'avoir à peine eu le temps de fermer les paupières avant d'avoir à les rouvrir.

– Emma, s'il te plaît. Mange encore un peu de ce miam-miam porridge à la banane.

Je me suis penché en avant et j'ai ouvert la bouche pour lui donner l'exemple. Emma a tendu la main et a touché ma joue. Je me suis immobilisé. Nous nous sommes dévisagés. Emma m'a caressé la joue et a souri. C'est tout, elle a souri. Je me suis reculé lentement. Je me sentais tout bizarre sans comprendre pourquoi.

J'ai fini par réussir à donner son repas à Emma et elle buvait maintenant du jus d'orange dans son verre canard. Avec un peu de chance, j'avais une minute devant moi pour engloutir mes céréales et avaler deux tasses de café avant qu'elle commence à s'agiter et réclame à descendre de sa chaise haute.

Emma adorait explorer, et de toutes les pièces de la maison, la cuisine était sa préférée. J'ai regardé autour de moi. Avant l'arrivée d'Emma, la cuisine était juste une cuisine. Le sol était un peu collant et les plans de travail pas toujours nickel mais elle était parfaitement fonctionnelle. À présent, je la voyais comme un piège mortel rempli de périls faits de coins aiguisés et de tiroirs mal fermés. J'avais déjà utilisé toutes les lingettes antibactériennes de la maison pour laver le sol, les poignées de placard et les plans de travail. La cuisine n'avait pas été aussi propre depuis des années. Du coup, je laissais Emma ramper pendant que je lui préparais son petit déjeuner mais j'avais déjà battu des records de vitesse une bonne douzaine de fois pour sauver Emma de dangers potentiels. Il n'était pas encore 9 heures et j'avais l'impression d'avoir couru un marathon. J'étais sur les rotules.

Adam est entré. Dès qu'il m'a vu, il a commencé à faire demi-tour. Trop tard, j'avais vu. Je me suis dressé comme un ressort.

– Qu'est-ce qui t'est arrivé ?

– Rien. Bonjour Emma.

Mais son sourire a immédiatement été suivi d'une grimace et il a porté la main à sa bouche. Sa lèvre supérieure était gonflée et sa lèvre inférieure fendue.

– « Rien » ne t'aurais pas mis dans cet état, ai-je grondé. Qu'est-ce qui s'est passé ?

– Je suis tombé.

– Et tu t'es rattrapé avec la bouche ?

– C'est un accident, a grommelé Adam. Je vais survivre, alors laisse tomber. De toute façon, qu'est-ce que ça peut te faire ?

– Quoi ? T'es mon frère, je te rappelle !

– Oui, c'est ça. Je suis ton frère quand ça t'arrange.

– Et ça veut dire quoi ?

Pas de réponse.

– C'est quoi ton problème ? ai-je lâché, exaspéré.

– Tu ne t'es pas vraiment précipité à ma défense, hier soir, a répliqué Adam sur un ton plein de ressentiment.

– Si, justement, l'ai-je détrompé. J'ai demandé à Josh de ne pas te parler de cette façon. C'est mon boulot de t'envoyer balader.

Ma tentative de blague a fait un bide. Le visage d'Adam était fermé comme une porte de prison.

– Attends, me suis-je écrié. C'est Josh qui t'a fait ça ?

– Je suis tombé, a répété Adam.

J'ai scruté mon frère mais il me regardait droit dans les yeux. Si Josh avait été le coupable, il me l'aurait dit. J'en étais certain.

Presque…

– Et tu ferais quoi si c'était Josh qui m'avait fait ça ? m'a soudain demandé mon frère.

– Je ne sais pas mais c'est sûr que je ferai quelque chose.

– Contre Josh ?

– Contre Wolverine, s'il le fallait ! Personne ne touche à mon frère !

Adam a esquissé un sourire.

– OK mais bon, t'auras pas besoin de te battre contre Wolverine. Ni contre Josh. Même si je ne comprends pas pourquoi tu traînes avec ce crétin. Pour commencer, il a la tête d'un crapaud recouvert d'une tranche de jambon fumé.

J'ai éclaté de rire.

– Je te permets pas de parler comme ça de mon pote.

– Mais pourquoi c'est ton pote ? a insisté Adam. Et surtout, pourquoi tu laisses Josh faire tout ce que lui suggère ce débile de Logan ?

– Comme quoi ?

Où Adam voulait-il en venir ?

– Laisse tomber, a soupiré Adam.

Mais je n'avais pas envie de laisser tomber.

C'est vrai que parfois Josh sortait des trucs qui me hérissaient mais il ne les pensait pas vraiment. Et puis, quand j'étais arrivé au collège, j'étais une mauviette. Oui, je l'admets à contrecœur mais c'est vrai. Comme des requins attirés par l'odeur du sang, deux garçons plus âgés que moi m'avaient repéré. Ils faisaient tomber mes livres, me piquaient mon sac et s'en servaient comme d'un ballon de foot, des trucs de ce genre. Un jour, Josh m'a défendu. Il leur a juste dit :

– Je crois que vous avez envie d'arrêter vos conneries. Vous en avez *vraiment* envie.

Il devait y avoir quelque chose dans son ton parce que les deux types sont partis et ne s'en sont plus jamais pris à moi après ça. Josh et moi avons commencé à traîner ensemble. Il n'aimait pas les livres que je lisais, ni la musique que j'écoutais, pas plus que les films que je regardais, mais ce n'était pas grave parce que, petit à petit, j'ai appris à partager ses goûts à lui.

– C'est mon pote, c'est tout, ai-je déclaré à Adam.

– Tu ne vois vraiment que ce que tu veux voir, a-t-il soupiré. Ça a toujours été ton problème.

– Ah oui ? Alors dis-moi ! Dis-moi ce que je rate d'après toi.

Adam n'a pas répondu. J'ai plissé les paupières.

– Est-ce qu'il s'est passé quelque chose au Bar Belle après mon départ ?

– Non, rien, a répondu Adam faiblement en baissant les yeux.

Il me cachait quelque chose. Je devinais toujours quand il me cachait quelque chose.

– Adam ?

Il m'a regardé de nouveau et a souri.

– C'est bon, je t'assure. Tu t'inquiètes trop.

C'était probablement vrai. Après la mort de Maman, je m'étais mis à me tracasser sans cesse pour mon frère. Comme si ça ne suffisait pas d'avoir perdu ma mère.

– Tes amis sont venus te rejoindre ? ai-je voulu savoir.

– Ouais. Un peu plus tard.

– C'était qui ?

– Les Anne au cube.

– Pardon ?

– Roxanne, Leanne et Diane, m'a expliqué Adam. Tout le monde les appelle les Anne au cube.

– Ton invention, j'imagine ?

– Évidemment, s'est rengorgé Adam.

Évidemment.

Pourquoi est-ce que tous les amis d'Adam ou presque étaient des filles ?

– Vous avez fait quoi ?

– Rigolé.

– Vous avez parlé de quoi ?

– De films et des acteurs qu'on trouve beaux.

– Bon sang, Adam !

– Quoi ? Je vais devenir acteur alors je dois me tenir au courant de ce qui se passe dans le monde du cinéma, a répliqué mon frère. Et ne jure pas devant ta fille.

Un rapide coup d'œil vers Emma m'a assuré qu'elle ne prêtait aucune attention à notre conversation. N'empêche que j'allais quand même devoir être plus vigilant.

– Il n'y avait pas un seul garçon dans votre groupe, hier soir ? ai-je demandé.

– Non, Dylan et Zach ne sont pas venus. Mais ça m'était égal. J'étais le roi au milieu de toutes ces filles pendues à mes lèvres.

– Oui, c'est ça, ai-je ricané.

– C'est vrai. C'était ma soirée ! a souri Adam.

Oh, bon sang !

– Pourquoi est-ce que tu n'es pas un peu plus comme…

– Toi ? a achevé Adam.

– Comme n'importe quel autre garçon, ai-je rétorqué.

– Je ne suis pas du genre à être comme les autres ! a affirmé Adam. Ce sont les autres qui veulent être comme moi ! Contrairement à certaines personnes, a-t-il ajouté.

– Ce qui veut dire ?

– Ce qui veut dire que je n'ai pas peur d'être différent.

– À force d'être différent, tu vas finir par te faire casser la gueule.

– Pas avec un garde du corps comme toi. Et surveille ton langage !

Si Emma n'avait pas été là, je l'aurais traité de tous les noms qui me passaient par la tête.

– Tu as décidé pour l'université ? m'a soudain demandé mon frère avant d'enfourner sa cuillerée de yaourt aux céréales et aux raisins (très bon pour la peau d'après lui).

– Non, ai-je avoué. Pas encore.

– Tu attends l'inspiration divine.

– Non, le facteur.

– Pardon ?

– Laisse tomber.

Je n'avais pas très envie de parler à Adam ou à Papa de mon test ADN. Pas maintenant. Ils auraient pensé que j'essayais de me débarrasser d'Emma.

Papa est entré dans la cuisine en traînant les pieds, en se grattant les fesses et en bâillant. Son caleçon pendait sur ses hanches. Heureusement que j'avais déjà avalé mon petit déjeuner.

– Papa ! ai-je râlé en posant mes mains sur les yeux d'Emma.

– Ta petite-fille va avoir besoin d'années de thérapie maintenant ! a raillé Adam.

– Oh ! Désolé ! Je reviens ! s'est exclamé Papa.

Il allait sortir de la cuisine quand il a remarqué le visage d'Adam.

– Qu'est-ce qui t'est arrivé ?

– J'ai trébuché et je suis tombé.

Papa a froncé les sourcils.

– Merde ! T'as besoin de lunettes ou quoi ?

– Papa ! ai-je lancé. Ne jure pas devant Emma. Je n'ai aucune envie qu'elle hérite de ton vocabulaire de charretier.

– Va te faire voir !

– Papa !

– D'accord, d'accord ! Pardon, Emma. Et toi, Adam, fais attention où tu mets les pieds.

Papa est remonté à l'étage en marmonnant dans sa barbe. Mon frère et moi avons échangé un sourire. Emma m'a tiré la main et s'est mise à rire.

Papa est revenu dans une vieille robe de chambre verte que je lui avais achetée pour son anniversaire trois ans plus tôt. Je ne l'avais vu la porter que deux fois. Le jour où je la lui avais offerte et aujourd'hui.

– Ça va comme ça ? a-t-il demandé en entrant dans la cuisine.

– C'est à Emma qu'il faut demander.

– Bonjour mon ange ! a roucoulé Papa en la prenant dans ses bras pour la lever au-dessus de sa tête, un sourire jusqu'aux oreilles. Comment va ma précieuse petite-fille ?

– Tu parles comme Gollum, a ri Adam.

– Oh là là, Emma, comme il est coquin ton oncle, oh oui, c'est un coquin ! C'est même un sacré petit…

– Papa ! ai-je soupiré.

– Pardon, ma chérie. Ton Papi est désolé. Bon sang ! Papi ! Je n'arrive toujours pas à m'habituer à ce fichu mot !

– Papa ! avons-nous crié en chœur, Adam et moi.

– Oups, pardon, pardon, pardon, a lancé Papa piteusement. Emma, tu es un si gentil bébé ! Oh, quel gentil bébé !

– Gentil bébé ! me suis-je exclamé. Tu as oublié qu'elle m'a empêché de dormir la moitié de la nuit !

Papa s'est tourné vers moi.

– Tu peux t'estimer heureux de ne pas avoir à t'occuper d'un nouveau-né. Tu devrais te lever toutes les deux heures pour la nourrir. En tout cas, c'est ce que vous nous avez infligé tous les deux. Vous voyez ces rides autour de mes yeux ? C'est à vous que je les dois !

– Non, a répliqué Adam. Ça, c'est parce que tu n'hydrates pas suffisamment ta peau.

– Je préfère encore avoir des rides ! a grogné Papa. Comment vont les quenottes d'Emma ce matin ?

– Elle ne pleure plus, mais elle n'arrête pas de me baver dessus.

À tel point que le temps que je la descende pour le petit déjeuner, elle avait réussi à tremper mon T-shirt.

– C'est bien la première fois qu'une femme bave sur toi ! a ricané Adam.

Et il se trouvait drôle.

Le cliquetis métallique de la boîte aux lettres a annoncé l'arrivée du courrier. Je me suis précipité vers la porte avant que quelqu'un d'autre ait eu le temps de bouger.

C'était arrivé.

Mon kit de test ADN était arrivé.

23. Dante

J'ai presque jeté le reste du courrier sur la table de la cuisine et j'ai crié :

– Je reviens !

J'ai monté les marches quatre à quatre. Ouvrant le paquet, j'ai soigneusement déposé le contenu sur mon lit. Il y avait trois enveloppes de différentes couleurs. Une bleue pour le père, une rose pour la mère, une jaune pour le bébé. Très cliché. Heureusement pour moi, je n'avais pas besoin d'échantillons de cellules de Mélanie pour établir la paternité. Sur chaque enveloppe, un petit questionnaire devait être complété. Il y avait aussi deux pages d'instructions, une enveloppe pré-timbrée pour la réponse et deux petits sachets en plastique contenant des tampons de prélèvement en forme de cotons-tiges. Apparemment, je ne devais boire ni thé ni café durant les quatre heures précédant le prélèvement, et pour Emma, je devais laisser passer au moins deux heures après son repas. J'avais encore le goût du café dans la bouche. Je devais donc attendre.

Merde.

Les sachets en plastique contenant les tampons étaient stériles et ne devaient être ouverts qu'au moment de l'utilisation. En revanche, après le prélèvement, le tampon devait sécher deux heures à l'air libre avant d'être remis dans le sachet. Deux tampons par personne étaient prévus et il était écrit en majuscules qu'en aucun cas, je ne devais en toucher les extrémités. Je pouvais recevoir les résultats par la poste ou par Internet. J'ai réfléchi à la question. Bien sûr, c'était plus rapide par e-mail, mais nous n'avions qu'un seul ordinateur à la maison et je ne voulais surtout pas risquer qu'Adam ou Papa tombe sur les résultats avant moi. Je ne voulais même pas qu'ils sachent ce que je faisais. Pas encore. Ce serait donc la bonne vieille et lente méthode.

Maintenant que j'avais tout le matériel, j'avais hâte de procéder aux manipulations. Mais je devais patienter jusqu'au déjeuner. Ensuite, je devrai encore attendre de quatre à sept jours pour les résultats. J'ai resongé aux premières heures de la matinée que j'avais passées à bercer Emma en faisant les cent pas dans ma chambre. Même mes nuits ne m'appartenaient plus. Le plus étrange était que quand elle était réveillée, je ne pouvais m'empêcher de regarder ma fille encore et encore.

Ma fille.

Ma fille ?

– Il faut seulement que je sache, ai-je murmuré dans le silence de ma chambre.

Alors pourquoi ce sentiment de culpabilité ?

Après avoir planqué le kit dans le fond d'un tiroir de ma commode, j'ai pris mon téléphone que j'avais mis à recharger dans la nuit. C'était plus un réflexe qu'autre chose mais à peine ai-je tapé mon code pin qu'il s'est mis à biper. Sept appels manqués de plusieurs de mes amis et deux textos. Manifestement, la nouvelle s'était propagée. J'ai glissé le téléphone dans ma poche avant de redescendre. J'arrivais au bas de l'escalier quand la sonnette a retenti. J'ai ouvert la porte. Colette. Elle n'avait pas perdu de temps.

– Je peux entrer ?

Je me suis effacé pour la laisser passer et j'ai refermé derrière elle. Nous nous faisions face, la gêne comme un oiseau en cage entre nous. Colette s'est penchée vers moi. Je l'ai embrassée brièvement pour passer à autre chose.

– Comment vas-tu ? m'a demandé Colette.

J'ai haussé les épaules.

– Ça va.

Ça devait être évident que je mentais.

– Et comment va… euh…

– Emma ? Elle va bien. Elle est dans la cuisine.

Je me suis retourné pour y aller. Colette m'a emboîté le pas. Je me sentais super mal à l'aise. La veille, ma colère contre Logan n'avait laissé la place pour rien d'autre mais aujourd'hui, j'étais comme… mortifié. Colette était ma petite amie. Nous nous étions embrassés des centaines de fois et on s'était un peu tripotés mais ça n'était jamais allé plus loin. Et voilà que j'avais un gosse.

– Bonjour Adam. Bonjour monsieur Bridgeman, a salué Colette en entrant dans la cuisine.

– Oh, bonjour Colette. Désolé pour la robe de chambre, a répondu Papa en me fusillant du regard.

Adam a adressé un signe de tête à ma petite amie tout en continuant de manger. Colette a regardé Emma sans rien dire.

Papa s'est levé en serrant les pans de sa robe de chambre autour de lui.

– Je vais m'habiller.

Il m'a jeté un nouveau regard assassin avant de sortir. Ça lui apprendra !

– Tu ne veux pas dire bonjour à Emma ? a lâché mon frère.

C'est marrant, c'est exactement la question que je me posais.

Colette est restée sans voix un moment, puis elle s'est dirigée vers la petite et lui a maladroitement tapoté le haut du crâne :

– Oh, euh… oui. Bonjour Emma.

Adam a haussé un sourcil. Emma a fait la grimace. Je l'ai prise dans mes bras avant qu'elle proteste bruyamment contre le traitement que venait de lui faire subir Colette.

– Alors, c'est ta fille ? a dit Colette.

Je voyais bien qu'elle cherchait un commentaire approprié.

– Tu peux te détendre, tu sais, lui a jeté mon frère.

Colette lui a envoyé un regard impatient. Emma m'a enlacé le cou et a examiné Colette de bas en haut, genre « Tu m'impressionnes pas du tout ». J'ai dû me mordre la lèvre pour ne pas rire. Adam ne s'est pas donné cette peine.

– Dante, ta fille est une petite maligne, a-t-il déclaré en se levant pour mettre son bol dans le lave-vaisselle. Elle doit tenir ça de sa mère.

Emma a gloussé. Colette a pincé les lèvres.

– T'es pas marrant, Adam.

– C'est pas l'avis d'Emma, a rétorqué mon frère.

J'ai dû me mordre la lèvre encore plus fort. Le rire d'Emma était contagieux. Mais si on en jugeait à sa tête, Colette était immunisée.

– Elle te ressemble, a fini par remarquer ma petite amie.

– Personne ne peut être aussi malchanceux, a commenté Adam.

Colette a soupiré, exaspérée.

– On peut sortir, s'il te plaît, Dante ? Je voudrais te parler en privé.

– Adam, je suppose que tu ne peux pas...

– Non, je ne peux pas garder Emma, m'a interrompu mon frère.

– Nous pouvons la prendre avec nous, a suggéré Colette. On pourrait aller au parc.

Sortir Emma ? En plein jour ?

– Elle a une poussette ? a demandé Colette.

Oh non. Une poussette... j'ai pris une grande inspiration. C'était... ce n'est pas que j'avais honte d'Emma. Non.

C'était juste que... les gens allaient me dévisager, se retourner sur moi. J'ai jeté un coup d'œil par la fenêtre. La journée était magnifique : ciel bleu, pas un nuage en vue. Je ne pouvais même pas utiliser le mauvais temps comme prétexte.

– Tu veux faire une promenade ? ai-je demandé à Emma.

Elle m'a souri. J'ai considéré que c'était oui.

– Je reviens tout de suite, ai-je dit à Colette. Sers-toi quelque chose à boire si tu veux.

Je suis monté avec Emma et je lui ai enlevé son pyjama pour lui enfiler une des robes que Papa avait achetées. Elle n'arrêtait pas d'agiter les jambes comme si elle pédalait pour gagner un triathlon. Je n'ai évité les bleus que grâce à mes super-réflexes. J'ai réussi à lui enfiler ses petites chaussures en tissu et on a été fin prêts. J'ai croisé Papa sur le palier.

– Tu aurais dû me prévenir que Colette venait ce matin, m'a-t-il sermonné.

– Je l'ignorais, ai-je répliqué.

– Hmmm.

Papa n'avait pas l'air convaincu.

– Tu sors ? a-t-il voulu savoir.

– Oui. J'emmène Emma au parc.

– Pas la tête nue ! a grondé Papa. Le soleil est brûlant. Tu veux qu'elle attrape une insolation ? Où est le petit chapeau rose que je lui ai acheté ?

– Dans mon tiroir.

– Il serait plus utile sur le crâne de ta fille ! Je me souviens que tu avais un adorable petit bonnet jaune et que tu te mettais à hurler quand ta mère ou moi essayions de te l'enlever, a-t-il ajouté avec un sourire narquois.

– Ha ha ha, très drôle, Papa !

– Je suis sûr que j'ai des photos de toi avec ce petit bonnet. On pourrait les montrer à Colette.

– Arrête ! J'ai mal au ventre tellement je rigole, ai-je lancé en retournant dans ma chambre chercher le chapeau d'Emma.

Papa ricanait dans mon dos.

J'avais laissé à Emma un des trois tiroirs de ma commode et fourré tout ce que je ne pouvais plus ranger dans le bas de ma penderie. J'ai posé Emma dans son lit pour pouvoir farfouiller. Je lui avais à peine mis le chapeau qu'elle essayait de l'enlever.

– Je te comprends, Emma, mais il fait chaud dehors et tu n'as pas le choix.

– Nananannanaaaa, m'a-t-elle répondu.

– Oui, je sais. Mais c'est pour ton bien.

Nous sommes redescendus. Colette m'a rejoint dans le salon et m'a regardé installer Emma dans sa poussette. Avant de partir, j'ai vérifié que j'avais bien des couches propres dans le sac.

– À tout à l'heure, Papa, ai-je crié.

Il est apparu en haut de l'escalier. Habillé cette fois, Dieu merci.

– Bonne promenade.

Colette a ouvert la porte d'entrée et nous sommes sortis dans la rue baignée de soleil.

Je n'avais jamais poussé une poussette auparavant. C'était bizarre. Étrange. Insolite.

– Tu veux que je la pousse ? m'a proposé Colette.

– Non, non, c'est bon, ai-je refusé.

Nous avons marché sans un mot. Je ne trouvais rien à dire. Ça ne m'était jamais arrivé avec Colette.

– Je suis désolée, a-t-elle fini par souffler.

– De quoi ?

– Que tu te retrouves avec un bébé dont tu ne veux pas sur les bras.

Colette ne faisait que répéter mes propos de la veille au soir, alors pourquoi ça m'agaçait ?

– J'ai été crétin, c'est tout.

– Est-ce que Mélanie a dit quand elle revenait ?

– Non. La semaine prochaine ou dans un an. Ou jamais. Je n'en ai aucune idée.

– Qu'est-ce que tu comptes faire ?

– Je ne sais pas. Je réfléchis aux choix qui se présentent à moi.

– Et l'université ?

– J'espère encore que…

J'ai haussé les épaules sans finir ma phrase.

Silence.

– Et si Mélanie ne revient pas avant la rentrée universitaire ? a repris Colette.

J'ai haussé les épaules de nouveau.

– J'essaye de trouver un moyen pour aller quand même à l'université mais j'ai encore besoin de temps pour réfléchir à tout ça.

– Qu'est-ce que tu prévois ?

Je me suis forcé à sourire.

– Je n'ai pas envie d'en parler tout de suite. Ça va me porter la poisse.

Tous mes espoirs reposaient sur le test ADN. C'était un peu comme essayer d'attraper des particules élémentaires mais c'était tout ce que j'avais. Si Emma… si elle n'était pas ma fille, alors je pourrais la confier aux services sociaux la conscience tranquille.

Mais si elle était vraiment de moi…

– Nuuuunn nou, a babillé Emma.

Je me suis penché sur la poussette.

– Qu'est-ce qui t'arrive?

Elle battait des bras et des jambes comme si elle était très en colère.

– Elle ne va pas bien? s'est inquiétée Colette.

– Je crois qu'elle a soif, ai-je répondu.

Il faut reconnaître qu'il faisait chaud. Le soleil tapait fort. Emma pleurnichait et, franchement, je pouvais la comprendre. Ce n'est pas moi qui avais eu l'idée de sortir. Nous n'étions qu'à mi-chemin du parc et je me sentais déjà comme une feuille de laitue bouillie.

– Boire quelque chose nous ferait du bien à tous les trois, ai-je décidé.

Non loin se trouvait un magasin de journaux qui proposait aussi des boissons. J'ai fait faire un quart de tour à la poussette et nous y sommes entrés. Je suis allé droit vers le réfrigérateur, où j'ai choisi une brique de jus d'orange pour Emma, un Gini pour moi et un smoothie banane-framboise pour Colette. Je savais qu'elle adorait ça. Puis nous sommes allés rejoindre la file.

Une femme blonde d'une quarantaine d'années s'est retournée pour voir qui arrivait derrière elle. Elle avait l'air épuisée et agacée mais dès qu'elle a vu Emma, elle a souri.

– Coucou ma belle, a-t-elle susurré en collant son visage sur celui de la pauvre Emma.

J'ai légèrement reculé la poussette. C'est vrai, quoi!

– Comme elle est jolie! s'est extasiée la femme. Et comme elle te ressemble!

J'aurais vraiment aimé que tout le monde arrête de dire ça!

– Hmm, me suis-je contenté de marmonner.

– Et quel âge a ta petite sœur? a continué la femme.

– Euh…

– Ce n'est pas sa sœur, c'est sa fille, a corrigé Colette.

Bon sang ! Pourquoi s'était-elle sentie obligée de donner des informations qui ne regardaient personne !

Le visage de la femme s'est décomposé. Ses yeux se sont écarquillés, sa bouche entrouverte.

– Ta *fille* ?

Elle était scandalisée. Elle avait presque crié et d'autres personnes dans la file se sont retournées. J'avais les joues brûlantes.

– Ta fille ! a répété la femme encore plus fort, juste au cas où l'annonce aurait échappé à quelqu'un de ce côté-ci de la Manche !

– Quel âge tu as ? s'est-elle écriée ensuite en grimaçant.

Ça te regarde pas ! ai-je songé. J'ai jeté un regard à Colette. Elle avait les yeux fixés au sol.

– Alors ? a insisté la femme.

– Dix-sept ans, ai-je répondu à contrecœur.

Lift immédiat ! Ses sourcils se sont presque cognés contre ses cheveux décolorés.

– Dix-sept ans !

Bon sang ! L'écho dans cette boutique était extraordinaire. La femme a toisé Colette comme si elle ne valait même pas qu'on s'essuie les pieds sur elle.

– Eh, me regardez pas comme ça, a protesté Colette. C'est pas mon bébé. Je suis juste une amie. J'ai rien à voir dans tout ça.

L'indignation se lisait sur le visage de la blonde. Ses lèvres ressemblaient à un parapluie sous une averse battante. Elle ne la croyait manifestement pas.

– Des enfants qui ont des enfants, a-t-elle craché. Et bien sûr vous ne travaillez pas et vivez des allocations !

– C'est pas votre problème de quoi je vis ! ai-je crié.

Sa dernière remarque m'avait définitivement hérissé.

– Parfaitement, c'est mon problème! a riposté la femme. Parce que c'est avec mes impôts qu'on donne de l'argent aux gens comme vous!

– Pardon!?

Elle ne disait quand même pas ce que je croyais!

– Dix-sept ans et un enfant! a continué la femme en secouant la tête.

– Pour votre information, je ne touche pas un penny d'allocation! ai-je lancé, furieux.

– Laisse tomber, Dante.

Colette a posé une main sur mon bras en tentative d'apaisement mais j'étais si enflammé que je l'ai vigoureusement repoussée.

– Vous ne savez rien de moi! Qu'est-ce qui vous permet de me parler de cette façon?

– Eh! Je ne veux pas de problème dans mon magasin, a crié le vendeur de derrière le comptoir.

– Laissez-le donc tranquille, a pépié une voix derrière moi.

Je me suis retourné pour voir qui c'était. Une femme brune au corps fatigué assorti à son visage épuisé tenait un petit garçon de six ou sept ans par la main.

– Lui au moins, il ne s'est pas tiré comme la plupart des hommes!

La femme avait entouré son garçon de son bras et le rapprochait d'elle tout en parlant.

Ses mots auraient dû me calmer mais ça n'était pas le cas.

La blonde qui s'en était prise à moi a pincé les lèvres un peu plus et m'a gratifié d'un regard méprisant avant de se remettre dans la file. D'autres clients s'étaient mis à m'examiner avec différents degrés de désapprobation.

– Quoi ? ai-je craché avec violence.

Ils se sont détournés avec des marmonnements indignés. J'avais envie de tout casser. Ou de frapper quelqu'un. J'avais envie de sauter dans le premier train pour n'importe où et de tout abandonner derrière moi. J'avais envie de m'enfoncer dans un trou noir et d'être englouti à jamais.

C'était comme si j'avais reçu une tonne de briques sur la tête. Il n'y avait pas moyen de s'en sortir.

Quand j'avais acheté mon téléphone, on m'avait fourni une notice.

Quand Papa avait acheté l'ordinateur familial, on lui avait fourni un mode d'emploi.

Quand Mélanie m'avait mis Emma sur les bras, je n'avais eu ni manuel, ni explications, ni mise à niveau. Rien.

Je faisais de mon mieux mais si Emma restait avec moi, j'allais devoir subir ces commentaires, condamnations et autres critiques sans arrêt. Et si je ne la gardais pas... ce serait pareil.

Quoi que je fasse, quels que soient mes efforts, ce ne serait jamais suffisant.

24. Adam

Certains jours, les souvenirs m'enveloppaient comme une couverture chaude et douillette. D'autres jours, ils étaient comme des fils barbelés. Comment les mêmes souvenirs pouvaient-ils provoquer des sensations si différentes ?

Aujourd'hui, je pensais à ma mère.

Et ça faisait mal.

25. Dante

Mon instinct m'ordonnait de rentrer à la maison, mais je ne lui ai pas cédé. Je n'allais quand même pas laisser une vieille peau aigrie gâcher ma journée. Nous avons traversé trois rues – sans échanger un mot – et nous sommes arrivés au parc où il était beaucoup plus facile de pousser la poussette. Sur le trajet, j'avais dû descendre au moins trois fois sur la chaussée à cause de crétins qui s'étaient garés sur le trottoir. Avant Emma, je ne l'aurais même pas remarqué. À présent, j'avais envie de rayer toutes les carrosseries qui me barraient le passage.

À l'aire de jeux, j'ai installé Emma dans une balançoire pour bébé. J'ai vérifié trois fois qu'elle était bien attachée et j'ai commencé à la pousser doucement. Elle adorait ça et riait avec bonheur. J'ai souri. C'était juste une balançoire. Trois fois rien. J'ai laissé sa joie m'envahir et la tempête qui bouillait encore en moi s'est lentement apaisée. J'ai regardé les autres enfants qui s'amusaient. Je n'étais pas venu là depuis longtemps. Les rires et les cris ont fait remonter des souvenirs. Je me suis rappelé à quel point j'aimais cet endroit. Je l'avais complètement oublié. Étrange.

Bien sûr, je pensais avoir une femme et des enfants un jour. Pour être honnête, ça faisait partie des choses que je considérais comme inévitables de la même façon qu'un emprunt à la banque ou les impôts. Dans dix ou quinze ans, ça ne m'aurait posé aucun problème. Ce n'était pas Emma le souci. C'était seulement une question de moment. Je n'étais pas prêt.

– Ça me fait un peu bizarre, a dit Colette.

– Je sais, ai-je acquiescé.

Elle était à côté de moi mais pas tout près. J'ai continué de pousser Emma.

– Alors, c'était comment au Bar Belle, hier soir ? ai-je fini par demander.

– Je suis partie une demi-heure après toi. Je ne me sentais plus d'humeur à fêter quoi que ce soit.

Nous avons échangé un regard lourd de signification. J'ai esquissé un sourire d'excuse.

– Ils ont dit quoi sur moi pendant que tu y étais encore ?

– Pas grand-chose...

Devant ma mine dubitative, Colette a ri.

– Bon, d'accord... ils ont un peu parlé de toi.

– Tu m'étonnes.

– Certains étaient surpris que tu aies un enfant et ils ont dit que tu cachais bien ton jeu. Logan a lancé qu'au moins comme ça, on était sûrs que tu tirais pas à blanc, mais c'est tout à fait le genre de trucs que pouvait dire Logan. Lucy pensait que c'était une blague et Josh... laisse tomber.

– Non, dis-moi. Qu'est-ce qu'il a dit ?

Colette s'est trémoussée et a baissé les yeux.

– Qu'est-ce qu'il a dit ? ai-je répété.

– Rien. Une bêtise. Un truc sur ta fille et ton frère.

– Quel truc ?

J'avais l'impression de traire un rocher.

Ce n'est que quand Emma a protesté que je me suis rendu compte que j'avais arrêté de la pousser. Je m'y suis remis aussitôt.

Colette a soupiré.

– Il a dit que pour ton frère, partager un toit avec Emma serait la seule expérience de vie commune avec le sexe opposé. Mais ne t'inquiète pas. Adam lui a dit d'aller se faire voir.

– Adam était là quand Josh a sorti ça ?

– Il passait à côté de notre table. Tu sais comment est Josh quand Logan le pousse. Mais Adam ne s'est pas laissé faire.

C'est bien ce qui m'effrayait.

– Arrête de t'inquiéter, a repris Colette. Adam est tout à fait capable de se défendre tout seul.

– Oui, je sais.

Mon frère avait une langue aussi acérée qu'un rasoir et c'est sur lui que j'aurais parié pour gagner une joute verbale. Mais certaines discussions tournaient mal et il fallait alors d'autres armes que les phrases pour remporter la victoire. Je devais absolument discuter avec mon frère. Je ne comprenais pas pourquoi Josh et lui se détestaient à ce point. Ils avaient le même sens de l'humour, la même confiance en soi et leurs cerveaux avaient toujours au moins quinze minutes d'avance sur celui des autres. Alors pourquoi cette hostilité ?

Je me rappelais un voyage scolaire à Paris quand on avait quatorze ans. Nous rentrions à l'hôtel après avoir visité un musée quand Mme Caper, notre prof, nous a annoncé qu'un phénomène étrange frappait la rue dans laquelle nous passions. Pour une raison inexplicable, elle faisait changer de couleur les orteils. Évidemment, tout le monde a voulu vérifier. Une vague d'excitation a parcouru le bus et on a tous – moi y compris – enlevé nos chaussures pour examiner nos pieds.

Tout le monde sauf Josh.

– Oh! C'est vrai! Mes orteils sont orange! s'est écrié quelqu'un.

Je crois que c'était Ben.

J'étais comme les autres penché en avant. Josh m'a donné un coup de coude.

– Crétin. Regarde par la fenêtre.

Perplexe, j'ai obéi et mes yeux sont sortis de leurs orbites. On était cernés par les sex-shops ! J'ai appris ce jour-là plus de choses que durant tout le voyage à Paris. Pendant ce temps, dans le bus, tout le monde sauf Josh, moi et les profs avait les yeux fixés sur ses orteils.

– Mme Caper a dit ça pour qu'on ne regarde pas par la fenêtre, m'a expliqué Josh, me confirmant ce que je venais juste de comprendre.

– Mon orteil est bleu, mon orteil est bleu! Ça marche vraiment! s'est exclamé Paul.

Josh et moi avons ricané comme des fous. Encore maintenant, le seul fait d'y penser me fait sourire. Et quand j'ai raconté cette histoire à Adam en rentrant, il a deviné la chute de l'histoire bien avant que je la lui dise. Ils étaient comme ça, Josh et Adam, toujours un temps d'avance sur les autres.

– Dante, il se passera quoi si…

La voix de Colette m'a brutalement ramené au présent.

– Si quoi?

– Si Mélanie ne revient jamais?

– Je n'en sais rien, ai-je répondu.

Silence.

– Dante, c'est quoi mon problème? a fini par lâcher Colette d'une toute petite voix.

Hein?

– Qu'est-ce que tu veux dire?

Colette a pris une longue inspiration.

– Tu as eu un bébé avec Mélanie mais avec moi, tu n'es jamais allé plus loin que les baisers et les câlins.

Je l'ai dévisagée. Elle était sérieuse? Depuis le début de la balade, elle avait du mal à croiser mon regard mais à présent, elle me regardait bien en face.

– Tu ne m'as jamais dit que tu avais envie d'aller plus loin, ai-je dit.

– Parce que tu n'as jamais demandé !

– Tu voudrais… ?

Rapide coup d'œil à Emma.

– Tu aurais voulu si je t'avais demandé ?

Colette a haussé les épaules.

– Je ne sais pas. Mais je n'ai jamais eu l'occasion d'y réfléchir ! Alors, c'est quoi mon problème ?

– Tu n'as aucun problème, je te le jure.

– Alors pourquoi tu as désiré Mélanie mais pas moi ?

– Ce n'est pas si simple, ai-je soupiré.

– Explique.

Oh, bon sang ! C'était vraiment gênant. Il m'a fallu un moment pour trouver les mots.

– Tu te rappelles la fête chez Rick, il y a presque deux ans ?

Colette a acquiescé.

– C'est ce jour-là que… Mélanie et moi… Nous avions bu tous les deux et nous avions peur que quelqu'un fasse irruption dans la chambre, alors… tu vois, c'était pas… extra.

Les joues écarlates, j'étais incapable d'ajouter quoi que ce soit. Colette a hoché la tête pour me montrer qu'elle comprenait. J'ai réussi à reprendre :

– Ça a été la seule fois. Et il n'y avait vraiment pas de quoi pavoiser. Mais toi et moi… tu sais, j'ai beaucoup pensé à nous ces derniers temps, avant que Mel ne débarque avec Emma. Mais tu vis chez tes parents et moi chez mon père et je voulais que notre première fois soit… que ce soit différent d'avec Mel.

– Différent comment ?

– Je voulais qu'on puisse prendre notre temps sans s'inquiéter d'être interrompus. J'ai pensé qu'à l'université, nous aurions nos propres chambres…

– Oh, je vois.

J'ai esquissé un sourire.

– J'y ai vraiment beaucoup pensé... mais avec Emma...

– Oui, a répondu Colette en regardant pensivement la petite.

– C'est quoi tes projets maintenant ? lui ai-je demandé.

– Mes projets n'ont pas changé. Je veux toujours obtenir un diplôme et faire quelque chose de ma vie.

– Et si je ne peux pas aller à l'université ?

C'était très injuste de ma part de lui demander ça mais il fallait que je sache.

– Dante, je t'aime bien. Vraiment. Mais je vais à l'université. Je veux avoir une carrière. J'ai des projets. Je veux une vie... Et tout ça est un peu... étouffant.

Colette a fait un geste vague mais elle aurait aussi bien pu montrer Emma du doigt.

C'est à moi qu'elle disait ça ? Tout le monde était d'accord sur ce point. Mais bon, j'avais reçu le message. Ce n'était pas pour ça que Colette et moi avions signé.

– Je comprends, ai-je murmuré.

Et c'était vrai. Décidément, rien n'arrivait au bon moment.

– Ce n'est pas juste que tu doives abandonner tes rêves à cause de quelque chose que tu n'as ni désiré ni planifié, a repris Colette, une pointe de colère dans la voix.

Ce n'était pas si simple. Ce « quelque chose » était « quelqu'un ». Un quelqu'un que j'étais en train de pousser sur une balançoire. Un quelqu'un qui m'avait tenu éveillé une grande partie de la nuit. Mais aussi un quelqu'un à qui il suffisait de rire pour me faire sourire. Une vraie personne. Et ça faisait toute la différence.

Colette a secoué la tête.

– On doit sûrement pouvoir trouver une solution.

– Je ne vois pas laquelle, ai-je répondu. Emma n'est pas munie d'un interrupteur qui me permettrait de l'éteindre pendant les trois ans dont j'ai besoin pour obtenir mon diplôme.

– N'empêche ! a insisté Colette.

Mais elle savait que ni elle ni moi ne pouvions rien faire pour changer la situation.

Nous sommes restés encore une demi-heure à l'aire de jeux. J'ai fait glisser Emma sur le toboggan sans la lâcher plusieurs fois, ensuite, je l'ai assise sur la balançoire à bascule pendant que Colette faisait monter et descendre l'autre côté. Et pendant tout ce temps, Colette et moi avons discuté de l'université, du lycée, de nos amis, de politique et même du temps. Nous n'avons pas une seule fois fait allusion à Emma. Pas plus que nous n'avons reparlé de nous.

Et puis, nous sommes rentrés à la maison. J'ai invité Colette à entrer mais elle a refusé.

– J'ai des tas de trucs à trier avant mon départ pour l'université, s'est-elle excusée.

Si ma vie avait été normale, j'aurais répondu : « Moi aussi. » Je n'ai rien dit.

– Je te rappelle bientôt, d'accord ? a-t-elle ajouté.

– D'accord.

– Ne t'inquiète pas, Dante, on va trouver une solution.

Elle s'est penchée vers moi pour qu'on s'embrasse. Et tout en l'embrassant, je ne pouvais pas m'empêcher de me demander si c'était la dernière fois. Bientôt, nous vivrions dans deux mondes totalement différents.

Je suis rentré. Le calme qui régnait dans le couloir était le bienvenu. J'ai détaché Emma de sa poussette pour l'emmener dans ma chambre et j'ai fermé la porte derrière nous. J'ai prélevé des cellules dans sa bouche puis dans la mienne. J'ai posé les tampons en équilibre sur mon bureau le temps qu'ils sèchent. Emma, assise sur la moquette, était occupée à jouer avec ses livres plus qu'à regarder les images. Je me suis assis sur mon lit et je l'ai contemplée en attendant le retour de mon ancienne vie.

Emma a levé les yeux vers moi et m'a souri avant de retourner à ses livres. Je l'ai observée en essayant de déterminer exactement ce que je ressentais mais j'ai fini par abandonner. Mes pensées et mes sensations étaient trop entremêlées pour être déchiffrables.

Quand les tampons ont été secs, je les ai placés dans leurs enveloppes respectives que j'ai fermées. Puis j'ai mis le tout dans la grande enveloppe réponse. Ne restait qu'à la poster. Je suis allé me laver les mains, prêt à ressortir.

Dans la salle de bains, je me suis examiné dans le miroir. Était-ce mon imagination ou mon visage s'était émacié ? Je n'avais pas beaucoup mangé ces derniers jours. Je me contentais d'un en-cas quand Emma faisait la sieste. Quand elle était couchée pour la nuit, j'étais trop fatigué pour avaler quoi que ce soit. Un enfant était une occupation qui prenait vingt-quatre heures sur vingt-quatre et sept jours sur sept. Ça ne laissait pas la place à grand-chose d'autre. Je me séchais les mains quand j'ai eu comme un coup à l'estomac. La porte de ma chambre ! Je l'avais fermée ou… Je suis sorti sur le palier. Emma était là, à quatre pattes, à une seconde de l'escalier et elle continuait d'avancer.

– Emma !

Elle s'est tournée vers moi mais une de ses mains était déjà au-dessus de la première marche. Son élan allait l'entraîner.

– Emma !

Je n'avais jamais crié si fort ni couru si vite. Je l'ai attrapée – juste à temps. Et c'est la chance qui m'a empêché de partir à la renverse dans les marches avec elle dans les bras. Emma hurlait maintenant, et je savais parfaitement ce qu'elle ressentait.

– Emma ! Ne refais plus jamais ça !

Elle a hurlé encore plus fort. Je savais que ça ne servait à rien, mais il fallait que je crie. Pour calmer les rugissements de mon cœur. Le temps de la récupérer, mon sang avait été remplacé par de l'adrénaline pure mais maintenant je me sentais horriblement mal. Ma tête était pleine des images de ce qui aurait pu se passer. Rien que parce que j'avais laissé la porte de ma chambre entrouverte. Je me suis laissé tomber par terre, Emma toujours dans mes bras. Je l'ai bercée doucement tout en reprenant ma respiration.

– Je suis désolé, Emma, je suis désolé.

J'ai prononcé ces mots à mi-voix mais avec toute la sincérité du monde. Ce n'était pas sa faute. C'est moi qui avais laissé cette fichue porte ouverte. J'ai serré Emma encore plus fort dans mes bras.

– Je suis désolé.

Et je l'étais. Pas seulement pour la porte.

Je venais de prendre cinq ans.

C'est ce que Papa avait l'habitude de dire quand Adam et moi avions fait une bêtise qui méritait une punition. « Je viens encore de prendre dix ans », déclarait-il après nous avoir crié dessus.

Pour la première fois, je voyais exactement ce qu'il voulait dire.

– Qu'est-ce qui se passe ? Pourquoi tu cries comme ça ? a demandé Papa en sortant de la cuisine.

– Rien, Papa, rien.

Je me suis relevé, les jambes encore flageolantes.

Papa a froncé les sourcils.

– Tu es sûr que ça va ?

– Oui, ça va. Je vais bien.

Emma toujours serrée dans mes bras, je suis retourné dans ma chambre. Il fallait que j'achète une barrière pour l'escalier. Ça allait faire un sacré trou dans mes économies mais il était hors de question que je revive une telle angoisse. Sur mon lit, l'enveloppe avec les prélèvements ADN semblait se moquer de moi. Je me suis assis à côté et j'ai continué de bercer Emma jusqu'à ce qu'elle se calme. Puis, sans la lâcher, j'ai pris l'enveloppe et je me suis levé.

Il n'y aurait plus d'incidents ni d'accidents.

Une minute plus tard, Emma était à nouveau dans sa poussette et nous nous dirigions vers la boîte aux lettres la plus proche. Pourtant, au moment de poster l'enveloppe, j'ai hésité. J'ai regardé Emma qui essayait de manger ses orteils. Puis l'enveloppe.

Et je continuais à hésiter.

C'était quoi mon problème ?

– Ça n'a rien à voir avec toi ou moi, ai-je dit à voix haute. Il s'agit seulement de savoir la vérité.

J'avais déjà versé un sacré paquet d'argent pour ce test, il était hors de question de changer d'avis maintenant. Je me suis forcé à me concentrer sur ce qui était dans ma main plus que sur ce qui était dans la poussette et j'ai glissé l'enveloppe dans la boîte.

Je faisais ce que j'avais à faire.

Je crois.

26. Dante

Ce soir-là, Emma était très agitée. Je suppose que ses dents étaient à blâmer. Du coup, tout le monde en profitait. J'ai appliqué du gel apaisant sur ses gencives et les deux petites bosses dures qui pointaient mais ça n'a pas eu beaucoup d'effet. Je l'ai bercée. Puis j'ai marché de long en large. Je l'ai soulevée dans les airs. Et j'ai même essayé de lui chanter mes chansons préférées pour l'endormir. En vain. Rien ne marchait. Pour couronner le tout, le téléphone n'arrêtait pas de sonner. Je n'avais répondu à aucun des messages laissés sur mon portable et mes copains se rabattaient sur la ligne fixe. Ça faisait cinq fois que Papa décrochait à ma place et il commençait à être pour le moins agacé.

– Dante ! Je ne suis pas ta secrétaire ! La prochaine fois, tu réponds toi-même.

C'est à ce moment-là que, cerise sur le gâteau, la sonnette de la porte d'entrée a retenti. Emma dans les bras, je me suis précipité avant que Papa ou Adam ait le temps de bouger.

C'était tante Jackie.

Bon sang ! Le téléphone arabe avait bien fonctionné. Dès que je l'ai vue, mon cœur s'est arrêté dans ma poitrine. Emma s'est mise à pleurer plus fort. Elle était très sensible, cette petite. Voir ma tante me rendait toujours… un peu triste. Elle et ma mère étaient jumelles. Pas identiques à cent pour cent mais assez semblables pour que ça me pince le cœur. Cela dit, leur ressemblance n'était que physique. Là où Maman était aussi douce que le miel, ma tante était aussi acide que du vinaigre. Maman souriait presque tout le temps. Il aurait fallu un décret voté par le Parlement pour que ma tante esquisse le moindre rictus. Et aujourd'hui, c'était pire que jamais.

Elle a commencé par toiser Emma.

– Je vois qu'on ne m'a pas menti. Tu as été très occupé ces derniers jours, a-t-elle lancé sèchement.

Puis elle s'est tapoté la joue. C'était rituel. Je l'ai embrassée à contrecœur et je me suis écartée d'elle aussitôt. Emma s'est tortillée dans mes bras. De crainte de la faire tomber, j'ai essayé de la poser par terre mais elle s'est mise à hurler dix fois plus fort. Avec un soupir, je l'ai reprise. Tante Jackie l'a examinée d'un œil noir avant de se tourner à nouveau vers moi.

Ça va me tomber dessus, me suis-je dit en me préparant.

– Tu arrives à prononcer le mot « contraception » ou il y a trop de syllabes pour toi ?

Pan, prends ça dans les dents !

– Bonjour tante Jackie, ai-je prononcé faiblement.

Emma criait tellement qu'elle ne m'a sans doute pas entendu. Ce n'était pas plus mal, le ton de ma voix ne lui aurait sans doute pas convenu.

– Je te pensais franchement plus malin que ça ! a lâché ma tante.

Bing, dans le nez !

– Mais comme quatre-vingt-dix-neuf pour cent des hommes, il ne te reste plus assez de sang dans le cerveau quand ta zigounette est en action !

Mon sang s'est transformé en lave en fusion et je suis devenu rouge de gêne des pieds à la tête.

8, 9, 10, knock out.

– Hmmm ! Passe-la-moi !

Tante Jackie a tendu les bras. Je n'avais pas très envie de lui confier Emma mais ma tante n'était pas le genre de femme à qui l'on peut refuser quoi que ce soit. Elle a très doucement caressé les cheveux d'Emma puis lui a passé la main sur la joue. Elle l'a ensuite calée sur son épaule et l'a tendrement cajolée. Mais Emma pleurait toujours.

– Qu'est-ce qu'elle a ? a demandé ma tante.

– Elle fait ses dents.

– Ah ! Tes dents te font mal, mon bébé, a-t-elle roucoulé à Emma. Eh bien, moi qui ai plus de… vingt ans, mes dents me font toujours mal. Si elles n'étaient pas aussi utiles, je les aurais toutes fait arracher depuis longtemps.

J'hésitais entre rire et reprendre ma fille de force.

Ma fille…

– Dante, tu as l'air épuisé.

– Je le suis, ai-je reconnu.

– Faut que tu t'y habitues !

Imbécile. Je m'étais fait avoir. Pendant un quart de seconde, j'avais cru à une démonstration de sympathie. De sa main libre, tante Jackie m'a légèrement pincé le menton.

– Allons, mon chou ! Ne te blâme pas trop ! C'est vrai que tu n'as pas beaucoup réfléchi mais tu as aussi été sacrément malchanceux.

J'ai attendu la vacherie mais rien. Alors je me suis forcé à sourire. Sans trop de succès.

– Faut que tu tiennes le coup, d'accord ? a-t-elle repris. Je sais que tu dois te sentir débordé mais contente-toi d'avancer au jour le jour.

– J'essaie, tante Jackie, mais c'est difficile.

Je n'arrivais pas à articuler. J'avais peur que les mots m'étouffent.

– Et Emma concentre toute l'attention sur elle, n'est-ce pas ? a ajouté ma tante avec un sourire.

Son commentaire m'a surpris.

– C'est un peu vrai, ai-je reconnu.

– Tiens le coup, mon garçon.

– Je ne tiens plus que par le bout des doigts, ai-je murmuré.

– Tu t'accrocheras à tes empreintes digitales, a-t-elle affirmé.

– Et si je rate complètement tout ?

– Tous les parents se posent la même question.

– C'est vrai ? Même quand ils sont vieux ? Même quand ils ont trente ans ?

Ma tante a souri.

– Oui, même quand ils sont aussi vieux que ça.

– Mais si je n'y arrive pas ? ai-je insisté. Emma est une petite fille. Si je fais une bêtise, ce sera grave.

– Tu veux un conseil ?

J'ai acquiescé avec méfiance.

– Fais de ton mieux. C'est ce que nous faisons tous. Si tu peux te regarder dans un miroir et te dire que tu as fait de ton mieux, alors tu as gagné.

– Pourquoi tu n'as jamais eu d'enfants, tante Jackie ? ai-je demandé.

Ma tante m'a dévisagé pensivement comme si elle était en train de prendre une décision. Puis elle a soupiré.

– J'avais très envie d'être mère, en réalité. J'ai réussi à être enceinte quatre fois mais j'ai fait des fausses couches.

– Je l'ignorais, ai-je murmuré.

Je ne savais pas trop quoi lui dire.

– Et après tu n'as plus voulu essayer ?

– Après la quatrième fausse couche, on m'a dit que je ne pourrais jamais porter d'enfants. C'est la raison pour laquelle mon ex m'a quittée.

– C'est pour ça que toi et oncle Peter avez divorcé ? me suis-je exclamé, choqué.

Tante Jackie a hoché la tête.

– Quel salaud !

Ma tante a souri en secouant la tête lentement.

– Non, ce n'était pas un salaud. Il voulait juste à tout prix avoir un enfant. Autant que moi, sauf que lui, il avait une échappatoire. C'est comme ça, Dante, c'est tout. Certains fuient, d'autres non.

Tante Jackie et moi nous sommes regardés et à cet instant nous nous comprenions parfaitement.

– Jackie ? Tu aurais dû me prévenir que tu venais !

Papa était sorti du salon.

Tante Jackie a pincé les lèvres.

– Ah ! Il faut que je te prévienne avant de passer maintenant !

– Ce n'est pas ce que je voulais dire, a soupiré Papa.

Papa et tante Jackie se comportaient toujours bizarrement l'un avec l'autre. Comme deux animaux qui se tournaient autour. Même quand Maman était en vie, ils n'avaient jamais rien à se dire.

– Pourquoi tu restes dans le couloir ? s'est enquis Papa.

– Je discute avec mon neveu.

– Jackie, il n'a pas besoin que tu lui fasses un sermon.

– Non, mais peut-être que la vérité lui ferait du bien !

– De quoi tu parles ? ai-je demandé.

– Oui, Jackie, pourquoi ne nous dis-tu pas de quoi tu parles ?

Papa avait la mâchoire contractée. Pas besoin de super-vision pour repérer le regard qui est passé entre eux. La température du couloir a brusquement baissé de plusieurs degrés.

J'ai froncé les sourcils.

– Tante Jackie ?

– Ne sois pas aussi susceptible, Tyler, a repris ma tante. Je voulais juste dire que si Dante voulait de ton aide, tu serais très certainement capable de la lui donner. Après tout, tu les as élevés seul, son frère et lui, toutes ces dernières années.

Ça n'a pas été immédiat mais les traits de Papa ont fini par se détendre. Ceux de tante Jackie aussi.

– Je vois, a marmonné mon père.

Eh bien, pas moi. Il y avait un truc qui ne tournait pas rond.

– Venez vous asseoir, a proposé Papa. Jackie, une tasse de thé ?

– Avec plaisir, a accepté ma tante.

Papa est parti vers la cuisine.

– Ton père et toi avez-vous eu une conversation à cœur ouvert à propos de tout ça ? m'a demandé tante Jackie à voix basse.

– À propos de quoi exactement ?

– À propos de ce que tu ressens, de la manière dont tu t'en sors.

– Bien sûr que non. C'est les filles qui ont des discussions à cœur ouvert.

Tante Jackie a secoué la tête.

– Ah, Dante ! Tu ressembles tellement à ton père.

– C'est faux, ai-je nié. Adam dit comme toi mais vous vous trompez tous les deux.

Ma tante m'a adressé un sourire entendu.

– Tiens, je crois que ta fille sera mieux dans tes bras.

Elle m'a tendu Emma qui, à ma grande surprise, s'est collée contre moi et s'est calmée. M'assurant qu'elle ne risquait pas de glisser, j'ai brièvement penché la tête vers elle. Ma tante m'a jeté un regard significatif. J'ai redressé le cou.

– Quoi ?

– Ne te sous-estime pas, Dante, a-t-elle dit.

– Comment ça ?

– Je me souviens comme tu es devenu… distant, retiré en toi-même à la mort de ta mère. Cet événement t'a rendu méfiant devant tout changement.

– Je ne te suis toujours pas.

– Ne laisse pas le passé t'empêcher d'être bien avec ta fille.

Pensait-elle que c'était le cas ? Si oui, elle se trompait, mais je n'avais pas l'intention de la contredire.

Nous sommes allés dans le salon.

– Salut tante Jackie.

Adam s'est levé pour étreindre notre tante. C'était le genre de chose qu'il faisait avec naturel, contrairement à moi.

– Alors Adam, comment va ta vie ? lui a demandé tante Jackie.

Elle a plissé les yeux en découvrant la coupure sur la lèvre de mon frère.

– T'inquiète pas pour ça, a esquivé Adam. Je suis tombé, c'est tout.

– D'autres contusions ?

– Non.

– Hmm. Drôle de chute qui te coupe la lèvre et ne te blesse nulle part ailleurs.

Tante Jackie était encore moins convaincue que moi.

Adam a haussé les épaules mais n'a fait aucun commentaire.

– Et à part ça, comment vas-tu ? a repris ma tante.

– Quelques migraines, sinon, ça va.

Je ne les ai écoutés que d'une oreille discuter de leurs chaussures, d'une comédie musicale que ma tante était allée voir et d'autres trucs du même acabit. Les mots de ma tante résonnaient dans ma tête. J'ai gardé Emma sur les genoux jusqu'à ce qu'elle gigote trop et se laisse glisser. Tante Jackie l'a regardée explorer les quatre coins de la pièce à quatre pattes. Au moindre danger potentiel, je bondissais mais je n'ai jamais eu besoin d'intervenir. N'empêche que je continuais de faire le yoyo au cas où. Emma s'est accrochée au fauteuil pour se mettre debout. Elle a regardé autour d'elle, posant ses yeux tour à tour sur moi, tante Jackie et Adam.

– Va voir Papa, l'a encouragée ma tante. Va, ma chérie, marche vers Papa.

Emma a tout de suite tourné la tête vers moi. Elle savait déjà qui j'étais. Mon cœur a tressauté dans ma poitrine. Le lien familial n'était-il pas uniquement biologique ? Existait-il une sorte d'instinct ? J'ai repoussé l'idée. Qu'est-ce qui m'arrivait ? Des images étranges surgissaient : des images d'Emma à cinq ans, à quinze ans, à trente-cinq ans ; des images où je jouais au ballon avec elle, où je partais en vacances avec elle, où je l'emmenais à l'école, où je discutais d'arts, de politique, de musique et de la vie avec elle, où je lui apprenais des choses...

Des images où elle restait avec moi.

Emma a lâché le fauteuil.

Je me suis accroupi et j'ai ouvert les bras.

– Viens, Emma. Marche. Viens vers... moi, ai-je souri.

Elle a fait un pas, puis deux, puis trois avant de s'écrouler dans mes bras.

Mais elle avait marché.

Vers moi.

Adam a applaudi. Tante Jackie s'extasiait en poussant des oh et des ah. J'ai soulevé Emma au-dessus de ma tête. Elle me souriait. Je lui ai rendu son sourire.

– Comme elle est forte ! Bravo, mon bébé ! C'est la fille de son papa, ça ! C'est la petite fille la plus forte du monde !

Impossible d'expliquer la fierté que je ressentais à cet instant. Je l'ai serrée contre moi. J'allais l'embrasser sur le front quand je me suis rappelé l'enveloppe que j'avais glissée dans la boîte aux lettres un peu plus tôt dans la journée. J'ai reposé Emma sur la moquette. Elle est aussitôt partie à quatre pattes retrouver ses jouets. Quand j'ai relevé la tête, Adam et tante Jackie me regardaient.

Sans un mot, je suis parti dans ma chambre.

J'avais besoin d'être seul. Juste un moment.

Malgré tout ce que je m'étais promis, Emma commençait à affecter mes sentiments et ma façon de penser.

27. Adam

J'ai roulé d'un côté. Puis de l'autre. Je me suis allongé sur le dos. Puis sur le ventre. J'ai posé mon oreiller sur ma tête. Rien à faire. J'entendais toujours les hurlements d'Emma. Si ça continuait, j'allais avoir des valises sous les yeux demain matin. C'était insupportable. Je suis sorti du lit, je suis allé vers la chambre de Dante. C'est vrai quoi ! Qu'est-ce qu'il fabriquait ? Pourquoi il la laissait crier comme ça ? Sans prendre la peine de frapper, j'ai fait irruption dans la chambre. Dante faisait les cent pas, Emma dans les bras.

– Ça va durer encore combien de temps ? ai-je lancé.

Le regard épuisé de mon frère s'est aussitôt transformé en regard assassin.

– Tu te fous de moi ou quoi ? a-t-il crié à voix basse.

J'ai grimacé. Je l'avais peut-être agressé un peu vite.

– OK. Désolé, mais comment tu veux que je dorme dans ces conditions ?

– Et comment tu comptes réussir à t'asseoir quand je t'aurai botté le cul ? a répliqué Dante.

À son expression, j'ai compris que ce n'étaient pas des mots en l'air.

– Tu as besoin d'aide ? ai-je proposé pour m'excuser.

– Si tu arrives à la faire arrêter de pleurer, je te donne tout ce que tu veux.

– T'as l'air complètement en vrac, ai-je remarqué.

– Marche avec un bébé hurlant pendant plus de deux heures et tu verras de quoi t'as l'air après.

– Peut-être que tu ne la tiens pas bien, ai-je suggéré.

Je disais ça au pif mais on pouvait toujours essayer.

– Pourquoi tu viens pas la tenir, toi ? a riposté mon frère.

– Parce qu'un seul fils de notre mère est stupide et c'est pas moi.

Je sortais de la chambre quand son oreiller m'est arrivé dans la tête.

N'empêche que c'est quand même Dante qui a eu le dernier mot. Les cris d'Emma m'ont tenu éveillé encore au moins une heure. Quand enfin, ça s'est arrêté, j'étais épuisé. Je me suis promis que la prochaine fois que je passerai à la pharmacie, j'achèterai une boîte de préservatifs à mon frère. Même si ça équivalait à fermer la porte de la bergerie une fois que le loup était entré.

28. Dante

Les jours suivants se sont déroulés de façon étrangement routinière. Mes jours, nuits et pensées ne tournaient qu'autour d'Emma. Le programme quotidien que Papa nous avait concocté me sauvait la vie. J'avais presque l'impression que je savais ce que je faisais.

Presque.

À vrai dire, en comparaison avec tout ce que j'avais entendu – et craint – sur les bébés, Emma n'était pas si terrible. Sans doute parce que ce n'était pas un nouveau-né. Je ne veux pas dire que m'occuper d'elle était facile, certainement pas. Ça demandait une concentration et une attention constantes. Mélanie ne m'avait pas laissé seulement Emma sur les bras mais une énorme dose d'anxiété dont je n'arrivais pas à me débarrasser. Donnais-je trop à manger à Emma ou pas assez ? Est-ce que je la sortais assez souvent ? Avait-elle assez chaud ? N'avait-elle pas trop chaud ? Avait-elle assez dormi ? Lui avais-je accordé assez d'attention ?

Assez, trop, assez, trop…

Pourtant, alors que j'avais l'impression de toujours tout rater, Emma me souriait et s'accrochait à mon cou quand je la prenais dans mes bras. Comme si j'étais devenu quelqu'un… d'important pour elle. Et quand je lui embrassais le ventre en la chatouillant, elle était morte de rire.

Depuis qu'elle avait fait ses premiers pas, elle n'arrêtait pas d'essayer de marcher. Elle allait partout. Alors que j'étais aux toilettes, elle en avait profité pour frapper le lecteur de DVD du salon avec une pantoufle de Papa. Elle avait réussi à ouvrir le lecteur et décidé que la pantoufle devait absolument rentrer dedans. De gré ou de force. Quand je suis revenu, le lecteur émettait un craquement menaçant. Deux secondes plus tard, il était définitivement cassé.

– Non, Emma, c'est mal. Tu ne dois pas faire ça, l'ai-je sermonnée en lui enlevant la pantoufle des mains.

Après un bref regard de surprise, elle a plissé les yeux, ouvert la bouche et s'est mise à hurler.

– Emma, tu ne peux pas mettre la pantoufle ici. Ce n'est pas fait pour ça. Les pantoufles, on les met à ses pieds, comme ça, lui ai-je expliqué, démonstration à l'appui. Tu peux aussi t'en servir comme d'un ballon et faire une tête, ou t'en faire un chapeau.

J'ai posé la pantoufle sur ma tête et j'ai déambulé dans la pièce comme un mannequin sur un podium. Emma a commencé à rire. Catastrophe évitée. J'ai continué, me prenant au jeu.

– Dante porte la dernière création de pantoufle faite de… de la matière la plus luxueuse et… synthétique. La ligne est pure et euh… la matière synthétique.

– Tu as besoin de te confier à quelqu'un ? m'a lancé Adam depuis la porte.

J'ai fait volte-face et la pantoufle est tombée. Adam m'a applaudi. Secouée de rire, Emma s'est jointe à lui. J'ai salué mes fans.

Chaque jour, je devais réparer un objet qu'Emma avait « revu et corrigé ». Comme la fois où elle avait réussi à arracher deux des boutons de réglage de la gazinière. Je les ai remis en espérant que personne ne s'apercevrait de rien mais le soir même, alors que Papa se réchauffait de la soupe, un des boutons lui est resté dans la main.

– Dante !

La fixation d'Emma sur les pantoufles ne se démentait pas. Je l'ai surprise en train d'en jeter une dans la cuvette des toilettes. Après lui avoir dit que c'était une bêtise, j'ai rincé la pantoufle et l'ai remise dans le couloir en espérant qu'elle sécherait et que mon père ne s'apercevrait de rien. Raté.

– Dante !

Une autre fois, j'étais dans le salon avec Emma et je lui apprenais le nom de ses animaux de ferme en plastique. Il faisait beau mais un peu couvert. Emma cognait la tête d'une vache contre la tête d'une chèvre quand un rayon de soleil a traversé le vase en cristal posé sur le rebord de la fenêtre. Un arc-en-ciel s'est dessiné sur le mur face à nous. Les animaux sont tombés sur la moquette et Emma est partie à quatre pattes comme une fusée. En s'aidant du mur, elle s'est levée et a essayé d'attraper les couleurs qui dansaient sous ses yeux en riant. Malgré moi, je me suis mis à rire aussi. C'était dingue la joie que lui procuraient quelques couleurs.

Je réalisais que ses pitreries avaient beaucoup plus d'effet sur moi qu'avant. Je devais me retenir pour ne pas rire trop fort avec elle ou pour ne pas lui sourire trop longtemps ou pour ne pas la laisser prendre toute la place dans ma tête.

Je ne voulais pas qu'elle prenne toute la place dans ma tête.

Ma vie tourbillonnait à une telle allure que je ne savais plus dans quel sens elle se dirigeait. Mes sentiments et mes pensées étaient dans le chaos le plus total et c'était chaque jour plus compliqué.

Pour couronner le tout, Adam me cachait quelque chose. Pas besoin d'être Mme Soleil pour le deviner. Ses journées suivaient un programme très précis. Douche à 6 heures et demie pendant au moins vingt minutes, trente minutes pour s'habiller, dix minutes pour se coiffer, puis vers 7 heures et demie, 8 heures moins le quart, il était dehors. Et il ne rentrait jamais avant 10 heures du soir. Si ça n'avait été qu'une fois ou deux, je n'aurais sans doute rien remarqué. Mais en ce moment, il rentrait tard tous les soirs, ce qui était rare pour mon frère. Papa faisait des heures supplémentaires pour récupérer les jours qu'il avait pris à l'arrivée d'Emma et il n'était pas là pour interroger mon frère sur ses faits et gestes comme je l'aurais voulu. J'ai décidé qu'on n'était jamais aussi bien servi que par soi-même.

– Adam ? Tu vas où ?

– Je sors.

– J'avais remarqué. Où ?

– Dehors.

Mon frère était encore plus agaçant que d'habitude.

– Adam, où vas-tu ?

– Ça te regarde pas !

– Et s'il t'arrive quelque chose ? ai-je insisté.

– Et en quoi le fait que tu saches où je suis va empêcher qu'il m'arrive quelque chose ?

Vraiment super agaçant.

– Tu veux pas me dire ?

– Dante, tu es le père d'Emma, pas le mien.

Et sur ce, il est sorti.

Pourquoi tant de mystères ? J'ai secoué la tête. Adam avait raison. J'avais déjà bien assez à faire avec Emma pour ne pas me prendre la tête avec lui. S'il voulait jouer au cachottier, grand bien lui fasse.

Les journées que je passais seul avec Emma étaient les plus éprouvantes. Papa téléphonait toutes les heures pour s'assurer que tout allait bien. Je n'arrivais pas à décider si je trouvais ça insupportable ou si, au contraire, je lui en étais reconnaissant. Un peu des deux sans doute.

Mais cette ignorance permanente concernant mon avenir proche comme lointain était le plus difficile à vivre. Je devais prendre des décisions. Je ne pouvais pas perdre plus de temps à tergiverser. Ce n'était pas juste pour Emma non plus. Le fait d'avoir un enfant ne m'empêchait pas de me raccrocher à mon ancienne vie mais ça ne semblait pas fonctionner. J'ai appelé Colette – et plus d'une fois – mais je suis toujours tombé sur sa boîte vocale ou le répondeur de ses parents. J'ai appelé Josh mais toutes ses soirées étant prises, il ne pouvait pas venir à la maison. Quelques copains comme Ricky, Ben et Darren étaient passés me voir, mais Emma mobilisant toute mon attention, ils n'étaient pas restés longtemps. Mes autres amis étaient occupés durant la journée et, Papa n'étant jamais sûr d'être rentré à l'heure pour garder Emma, je ne pouvais pas sortir le soir.

Le samedi matin a apporté la bruine, le facteur et les résultats du test. Dans cet ordre.

Il m'a suffi d'un coup d'œil à l'enveloppe pour savoir de quoi il s'agissait. Il m'a fallu un peu de temps pour calmer les battements de mon cœur en respirant doucement. Voilà ce que j'avais tellement attendu. Et c'était là, enfin.

« Dante, ouvre cette fichue enveloppe ! » me suis-je sermonné. Mais je n'y arrivais pas.

– Ang... Ang... m'appelait Emma depuis sa chaise haute dans la cuisine.

Je suis retourné auprès d'elle. Elle avait fait tomber sa cuiller par terre. J'ai posé mon enveloppe et trois autres destinées à mon père sur le plan de travail. À vrai dire, la cuiller d'Emma ne lui était pas d'une grande utilité. En général, le couvert finissait sur ses genoux ou par terre mais Papa affirmait que c'était bien de l'habituer dès maintenant.

– Bonjour mon ange, bonjour Dante, a bâillé Papa en entrant.

– Salut Papa.

– Nyyannng, a lancé Emma.

Mon père a embrassé la petite sur le dessus du crâne. Il l'adorait. J'ai rapidement lavé la cuiller d'Emma avant de la lui redonner. Il faisait encore très beau aujourd'hui. Peut-être irions-nous au parc un peu plus tard. Emma s'y amusait bien. Et puis il y avait des avantages à se montrer un bon « grand frère ». À deux reprises, des filles étaient venues me parler en me voyant pousser Emma à la balançoire. Se promener avec un bébé n'avait pas que des inconvénients.

– Qu'est-ce que c'est que ça, Dante ?

Papa avait les yeux fixés sur les feuilles pliées dans sa main. L'enveloppe ouverte sur le plan de travail m'a informé sur leur provenance.

– Tu ouvres mon courrier ? me suis-je écrié, accusateur.

– C'était écrit M. *Bridgeman*, s'est défendu Papa. J'ai cru que c'était pour moi.

– M. D. Bridgeman, ai-je rectifié.

– J'étais mal réveillé et j'ai juste lu le nom. Qu'est-ce que c'est ?

J'ai brièvement fermé les paupières. Moi qui avais voulu une réponse par la poste de peur que le message internet soit intercepté. Quel bobard raconter maintenant ? Vu la tête de Papa, toute manœuvre de diversion était risquée. Et quelle ironie ! Il avait vu les résultats avant moi !

– Dante ?

– Tu sais ce que c'est. Tu viens de le lire.

– Pas entièrement, a-t-il nié. Juste assez pour comprendre que ça ne m'était pas adressé.

Mouais. Il avait quand même compris de quoi il s'agissait.

Je me suis levé et je l'ai regardé dans les yeux.

– J'ai demandé un test ADN.

– Quoi ?

Mon père était ébahi.

– J'avais besoin d'être sûr et certain.

Papa a froncé les sourcils.

– Dante, il faudrait être aveugle pour ne pas voir qu'Emma est ta fille !

– J'avais besoin d'être sûr, ai-je répété.

– Une nouvelle tentative pour échapper à tes responsabilités !

Le ton de mon père était cinglant.

– C'est ça, hein ? Et si le test dit qu'Emma est ta fille, tu feras faire un autre test. Et encore un autre et un autre jusqu'à ce que tu obtiennes la réponse que tu veux ?

– Non, Papa.

Il ne m'a sans doute même pas entendu. Je l'avais déjà vu en colère après moi mais jamais à ce point. Son corps était raide et ses lèvres si serrées qu'on les voyait à peine.

– Je n'essaie pas d'échapper à quoi que ce soit, ai-je repris d'une voix calme. Je voulais juste connaître la vérité.

– La vérité ! Tiens, je vais te donner un scoop : la vérité ne va pas se transformer selon tes désirs !

– Je sais.

– Non, je ne crois pas, a crié Papa. Tu as fait ce qu'il fallait pour te désinscrire de l'université ou est-ce que tu espères qu'Emma – ma petite-fille – ne sera plus un problème d'ici la rentrée ?

Nous nous sommes dévisagés avec la même dose de ressentiment.

– C'est ce que tu penses de moi, hein Papa ?

– Ce n'est pas moi qui cherche une excuse pour me débarrasser de mon propre enfant !

– Moi non plus !

– Alors qu'est-ce que c'est que ça ? a hurlé Papa en m'agitant les résultats du test sous le nez.

– Je ne les ai même pas encore lus, lui ai-je rappelé. C'est toi qui les as ouverts, pas moi.

Tout le mal que mon père pensait de moi se lisait dans ses yeux.

– Et pour ton information, ai-je repris, j'ai déjà annulé mon inscription à l'université. Il y a deux jours. Et j'ai fait la même chose avec mon emprunt étudiant.

Il a eu l'air surpris.

– Ah oui ?

J'ai opiné.

– Et si tu ne me crois pas, tu peux téléphoner à l'université ou vérifier sur Internet !

Mon père a laissé retomber ses bras. Au moins, il avait arrêté de s'agiter.

– Pourquoi ?

– Parce que j'ai compris que je ne peux pas aller à l'université et m'occuper de ma fille en même temps. J'ai bien cherché des places en crèche mais c'est trop cher. Et si je travaille le soir pour payer, qui la gardera pendant ce temps-là ? Je pense qu'elle a déjà connu assez de changement dans sa vie.

– Tu as réellement annulé ton inscription à l'université ?

– Oui.

– Tu connaissais les résultats du test ADN ?

J'ai esquissé un sourire sans joie.

– Je ne suis pas extralucide mais tout le monde passe son temps à me répéter à quel point elle me ressemble. Et qu'elle rit comme Adam. Et qu'elle est aussi têtue que toi. C'est forcément une Bridgeman. Je n'ai pas besoin d'un papier officiel pour m'en convaincre.

Papa a baissé les yeux vers les feuilles qu'il tenait toujours à la main.

– Tu devrais peut-être lire ça, a-t-il murmuré en me les tendant.

J'ai sorti Emma de sa chaise haute, l'ai prise dans mes bras et embrassée sur le front.

– Dis-moi ce qui est écrit, ai-je demandé en la serrant plus fort.

Un silence épais est tombé sur la cuisine. Le seul bruit était celui de mon cœur. Emma était ma fille. J'en étais sûr à quatre-vingt-dix-neuf pour cent. Mais le un pour cent de doute me rongeait. Des perles de sueur sont apparues sur mon front. J'avais peur. Mais de quoi ? D'apprendre qu'Emma était ma fille ou qu'elle ne l'était pas ? Papa a commencé à lire. Ses lèvres bougeaient. Pourquoi est-ce que je ne l'entendais pas ?

– Quoi ?

– Emma est ta fille, a-t-il souri. C'est confirmé. Mais j'aurais pu te le dire ! C'est ce que j'ai fait, d'ailleurs.

– Nnngggghhh, a piaulé Emma.

J'ai desserré mon étreinte. Je n'avais plus besoin de m'accrocher à elle aussi fort. J'ai souri et l'ai embrassée sur la joue. Papa était encore en train de se moquer de mon gaspillage d'argent et de répéter que j'aurais dû l'écouter.

Emma.

Ma fille.

Ma fille, Emma.

– Coucou Emma, ai-je murmuré à son oreille. Dis « Papa ». Tu peux dire « Papa » ?

29. Dante

Emma ne m'a plus paru aussi lourde à porter et je me suis mis à sourire plus volontiers après cette nouvelle. La vérité m'avait soulagé d'un poids et je me sentais à présent libre de prendre des décisions. Pas besoin d'une psychanalyse pour comprendre pourquoi j'avais laissé tomber mon inscription pour l'université avant d'avoir les résultats ADN. Emma avait besoin qu'on s'occupe d'elle de toute façon. C'était tout ce qui comptait. Je pourrais peut-être aller à l'université l'année suivante ou l'année d'après. Ou plus tard ?

Il restait cependant un problème.

L'argent.

Maintenant qu'Emma était dans ma vie, je devais prendre soin d'elle. C'est-à-dire trouver un travail. Mais comment trouver un travail et surtout le garder avec un enfant à charge ? Je me voyais d'ici aux rencontres d'embauche avec Emma dans les bras. Ça risquait de marcher aussi bien que si j'essayais de faire voler des ballons de baudruche remplis de plomb. Je n'avais pas les moyens de payer une crèche privée – une demi-douzaine de coups de fil me l'avait confirmé. Et Emma était encore apparemment trop jeune pour être acceptée dans une crèche publique. On m'avait aussi dit que j'aurais dû la mettre sur une liste d'attente le jour de sa conception pour avoir une chance d'obtenir une place avant qu'elle ait elle-même des enfants.

Alors comment est-ce que j'allais faire ? Comment faisaient les autres parents ? Je n'en avais aucune idée. Est-ce qu'il y avait un truc super important que j'ignorais ? Y avait-il un secret uniquement connu des parents de plus de vingt ans ?

Il s'était passé à peu près deux semaines depuis que j'avais reçu les résultats. J'ai décidé de sortir avec Emma.

– Tu veux aller te promener ? lui ai-je demandé en ouvrant la barrière en haut de l'escalier et en la prenant dans mes bras.

Dans le couloir, je l'ai installée dans sa poussette et j'ai attaché sa ceinture.

– Je viens avec vous ! a lancé Adam.

Il nous faisait l'honneur de sa présence ? J'étais flatté. Mes sourcils lui ont passé le message.

– Oui, oui, je sais, a-t-il grommelé. Je n'ai pas été beaucoup là ces derniers temps.

– Pas beaucoup ? Tu veux dire pas du tout.

– OK, je suis là, maintenant.

– Pas de migraine ? lui ai-je demandé.

– Non.

J'ai posé ma main sur mon front en m'écriant d'une voix aiguë :

– Oh zut, ma pauvre tête ! Il faut absolument que je reste au lit aujourd'hui.

Silence.

– Va te faire foutre, a répliqué mon frère avec une grimace.

– Pas de grossièretés devant des oreilles innocentes, l'ai-je repris en souriant.

Adam s'est accroupi devant Emma.

– Pardon Emma, c'est lui qui m'a cherché.

– Alors est-ce que tu vas me dire où tu traînais ces derniers jours ? ai-je demandé.

– Non.

– Tu ne fais rien d'idiot au moins ?

– Du genre ?

– À toi de me le dire.

– Non, à toi.

– Non, à toi, ai-je insisté.

– Pourquoi tu ne me dis pas ?

– Et pourquoi tu ne me dis pas, toi ?

– Parce que j'ai l'impression que tu penses à quelque chose de précis, a finalement rétorqué mon frère.

– Oh bon sang ! s'est exclamé Papa qui sortait de la cuisine. Si vous avez des choses à vous dire, faites-le en privé ou laissez tomber ! Là, c'est moi qui vais avoir mal à la tête. Et Adam, puisque j'y pense, fini les soirées surtout quand tu as classe le lendemain. Quant à toi, Dante, n'oublie pas que tu dois montrer l'exemple à ton frère et à Emma.

Eh, c'est lui qui a commencé.

– Vous allez où ? a demandé Papa.

– Au parc, je pense, ai-je répondu. Emma pourra se dégourdir les jambes.

Elle arrivait à marcher dans les allées maintenant. Ce qui rendait encore plus difficile de la garder à l'œil.

– Vous voulez que je vienne avec vous ?

Stupéfait n'est pas un adjectif assez fort pour qualifier ma réaction à la proposition de mon père. Je n'étais pas allé au parc avec lui depuis mes douze ou treize ans.

– Ce serait cool ! s'est exclamé Adam juste avant que ma mâchoire ne tombe sur le sol.

Nous sommes donc tous sortis.

– Je la pousse, a déclaré Papa avant même que la porte soit refermée.

Je lui ai laissé la place et je me suis mis à sa droite entre la poussette et la chaussée. C'était étrange de marcher tous ensemble comme ça. Ça faisait des années qu'on n'allait même plus au cinéma ensemble.

– Pourquoi on ne se promène plus jamais en famille ? ai-je demandé.

– Parce que tu as commencé à sortir avec tes copains, que ton frère a fait la même chose et que vous n'aviez aucune envie d'avoir un vieux croûton sur vos talons, a souri Papa. Je suis devenu inutile. Les joies de la paternité.

Est-ce que ça s'était vraiment passé ainsi ? Est-ce que c'est moi qui l'avais fait se sentir de trop ? Je détestais devoir le reconnaître mais il avait sans doute raison.

– On est partis en vacances ensemble l'année dernière, a remarqué Adam.

Papa avait pris une chambre dans un petit hôtel pas cher près de la côte. C'était le genre d'endroits pour touristes où on vous souriait tout le temps et où on vous servait des frites à chaque repas mais au moins, ça nous avait fait prendre l'air. Pour la première fois depuis un certain temps.

– Pfff ! a lancé mon père. J'ai payé ces vacances et puis j'ai fait le taxi aller-retour, mais c'est bien tout. Sur place, vous avez fait vos trucs de votre côté et je vous ai à peine vus. Toi, Dante, tu ne voulais même pas que je vienne avec toi à la piscine de peur qu'une des filles que tu draguais me repère et parte en courant. J'avais l'impression d'être Quasimodo.

Mon regard est allé de Papa à Emma.

– Je suis désolé, Papa. Et puis… je ne t'ai jamais vraiment remercié pour tout ce que tu as acheté à Emma et pour m'aider à m'occuper d'elle. Je suis désolé pour ça aussi.

Papa m'a regardé, surpris.

– Je ne me plaignais pas, tu sais.

– Je sais, mais je suis vraiment désolé.

– Excuses acceptées. Et de rien, m'a souri Papa.

Je lui ai rendu son sourire.

– Eh, les gars, vous avez pas un peu fini ! Ça devient gênant !
s'est écrié mon frère.

Nous avons tous éclaté de rire – Emma comprise.

– Bonjour !

– Salut !

– Hey !

– Belle journée, n'est-ce pas ?

– Bonjour !

– Comment allez-vous ?

– Bon sang, Adam ! T'as pas besoin de saluer tous les gens
qui passent !

C'était exaspérant !

– T'es vraiment un ours ! a grogné mon frère. T'es pas mieux
que Papa.

– Merci ! s'est exclamé Papa.

– Je ne peux même pas dire bonjour aux gens que je croise si
j'en ai envie ! a poursuivi mon frère en ignorant l'indignation
de Papa.

– Si, mais ta bonne humeur permanente me tape sur les nerfs.
Et puis, tu passes pour un débile !

– Oh ça va, Dante. Prends un peu sur toi !

– Danngh… Dannngh… a babillé Emma en agitant les
jambes.

– Tu as entendu ça !

Je me suis accroupi face à la poussette.

– Elle a dit Papa ! Emma ! Hein, oui, tu as dit « Papa » ? Tu es
la plus forte, mon bébé. Dis-le encore !

– Elle a dit « Papa », mes fesses, a commenté Adam.

– Dante, je crois qu'elle a juste fait un petit rot, m'a taquiné
Papa.

– Vous avez de graves problèmes d'audition, tous les deux ! ai-je grincé. Vous voulez qu'on s'arrête à une pharmacie acheter de quoi vous nettoyer les oreilles ?

– Dannnhg…

– Vous voyez, Emma est d'accord avec moi.

– Si je comprends bien, « dannngh » ne veut pas seulement dire « Papa », mais aussi « Va-t'en dans une pharmacie ! »[1] , a ironisé Papa.

Ça faisait longtemps que je ne l'avais pas entendu reprendre une citation de Shakespeare à sa sauce. Sa réplique préférée était « La dent du serpent est moins cruelle que la douleur d'avoir deux gamins insupportables »[2]. Il la sortait à la moindre occasion.

– Papa, Emma est un peu jeune pour que tu lui infliges ton Shakespeare revu et corrigé, a soupiré Adam.

– Non, pas du tout, l'ai-je contredit. Papa a raison. Cette petite est très en avance. Elle tient de moi.

Papa a agité la main.

– Pousse-toi, Dante ! Je ne suis pas Mary Poppins, je ne peux pas voler.

J'ai obéi et nous avons continué notre promenade.

– Bonjour !

– Comment allez-vous ?

Adam a réussi à saluer encore deux personnes qu'on n'avait jamais rencontrées avant que je réussisse à lui plaquer la main sur la bouche. Il s'est débattu mais j'ai tenu bon.

– Je te laisse si tu me promets d'arrêter d'être d'aussi bonne humeur, ai-je exigé.

Adam a finalement acquiescé pendant que Papa secouait la tête. Je l'avais à peine lâché qu'il s'est éloigné de moi en courant. Après avoir atteint une distance de sécurité, il s'est mis à crier à tue-tête :

1 « Va-t'en dans un couvent ! » *Hamlet*, acte III scène 1.
2 « La dent du serpent est moins cruelle que la douleur d'avoir un enfant ingrat ! » *Le Roi Lear*, acte I scène 4.

– Bonjour le monde !

J'ai levé les yeux au ciel et je me suis mis à rire.

– Ça fait du bien de t'entendre rire de nouveau, Dante, a dit Papa.

Ça me faisait du bien à moi aussi.

– Dannngh ! a approuvé Emma.

30. Adam

Comment est-il possible d'être en même temps aussi heureux et aussi triste ? J'ai rencontré quelqu'un. Quand nous sommes seuls, ensemble, il est extraordinaire. Il a un humour aiguisé qui me fait rire. Mais ce n'est que quand nous sommes seuls.

Quand il y a d'autres gens, il est totalement différent.

Je voudrais... je voudrais tellement qu'il n'ait pas honte de moi.

S'il cessait d'avoir honte de lui-même, alors peut-être aurions-nous une chance tous les deux.

31. Dante

Papa était parti au bureau, Adam au lycée. Emma et moi étions seuls à la maison. Cette matinée d'automne était couverte mais encore chaude.

– Tu veux aller au parc, Emma ?

Emma s'est dandinée jusqu'à sa poussette. J'avais ma réponse !

Je l'ai assise sur mes genoux et lui ai enfilé ses chaussures. Je me disais que nous marcherions et qu'elle pourrait même courir un peu dans l'herbe. Comme ça, elle serait fatiguée en rentrant et ferait une bonne sieste. M'occuper d'elle ne me rendait plus aussi nerveux. C'était encore difficile bien sûr. Quand elle se mettait à pleurer et que je ne comprenais pas ce qu'elle voulait ou bien que je ne pouvais pas le lui donner, j'avais besoin d'océans de patience que je n'étais pas sûr de posséder. Et il y avait autre chose. Je me sentais seul. Au début, des copains étaient passés me voir, mais maintenant que l'attrait de la nouveauté avait disparu et que leur curiosité était satisfaite, ils ne venaient plus. En général, je passais mes journées seul avec Emma jusqu'à ce que Papa et Adam rentrent. Les balades au centre commercial ou au parc nous étaient aussi nécessaires à l'un qu'à l'autre. Moi, elles m'empêchaient de devenir cinglé à force de tourner en rond. La vie continuait pour les autres. J'étais sur le banc de touche.

Mais j'avais Emma.

En poussant d'une main la poussette et en tenant fermement Emma de l'autre, je suis sorti de la maison.

– Parc, nous voilà ! ai-je lancé.

Emma a levé les yeux vers moi et m'a souri. Mais nous étions à peine à mi-chemin qu'une pluie battante s'est déversée sur nous d'un seul coup. En moins d'une minute, nous avons été trempés. Je jurais mentalement. Même mon caleçon était mouillé ! Emma, elle, était ravie. Elle a mis les pieds dans une flaque et s'est mise à rire. Ça lui plaisait tellement qu'elle m'a lâché la main pour encore mieux en profiter. Elle éclaboussait encore et encore, en riant de plus en plus fort. Qui aurait cru qu'une flaque d'eau pouvait être aussi amusante ?

– Tu es un bébé qui aime l'eau, toi, hein ? ai-je souri.

J'avais déjà remarqué qu'Emma adorait le bain du soir mais je m'étais juste dit que tous les bébés étaient comme ça. Peut-être que je devrais l'emmener à la piscine municipale ? Ça lui plairait sûrement.

– Allez viens, Emma. On rentre à la maison.

Je l'ai prise dans mes bras et l'ai attachée dans sa poussette. J'ai presque couru sur le chemin. J'ai séché Emma et l'ai changée. On n'avait pas besoin ni l'un ni l'autre d'attraper un rhume. J'ai enfilé un T-shirt sec et enlevé mes chaussettes trempées. Puis nous sommes redescendus au salon. Je l'ai embrassée sur le front, me suis assuré qu'elle était en sécurité et je suis allé à la cuisine pour lancer une lessive. Je me transformais peu à peu en fée du logis mais à vrai dire, je détestais. Heureusement que je ne faisais pas que ça : ce n'était que quatre-vingt-quinze pour cent du temps. Je triais les habits d'Emma quand la sonnette a retenti. Je me suis levé, les sourcils froncés. Je n'attendais personne. C'était peut-être le facteur. Non, il était trop tôt. Mais bon, tant que ce n'était pas un meurtrier armé d'une hache, j'étais ravi à l'idée de discuter avec qui que ce soit. Je me suis dirigé vers la porte d'entrée.

– Bonjour Dante.

J'ai dévisagé la jeune femme qui se tenait face à moi. Je l'avais déjà vue quelque part. Elle était un peu plus petite que moi, ses cheveux noirs étaient coiffés en queue-de-cheval et elle portait une jupe de tailleur grise et un chemisier rose. Son visage était expertement maquillé et elle portait un sac immense à l'épaule. Il m'a fallu quelques secondes pour la reconnaître.

– Euh… Véronica, c'est ça ?

Je l'avais identifiée grâce à ses yeux. Les mêmes que sa sœur Colette.

– C'est ça, a-t-elle souri. Je peux entrer ?

Qu'est-ce qu'elle fichait là ?

– Colette a des soucis ? ai-je demandé, inquiet. Elle a eu un accident ?

– Non, non, s'est empressée de me rassurer Véronica. Je peux entrer ?

Encore plus perplexe, je me suis effacé.

– Première porte à gauche, lui ai-je indiqué.

Elle est entrée dans le salon, s'immobilisant quelques secondes en apercevant Emma qui jouait avec ses animaux en plastique. Une odeur désagréable émanait de la petite. Sa couche avait besoin d'être changée.

– Comment va-t-elle ? a demandé Véronica. Elle s'appelle Emma, c'est ça ?

– Oui, c'est ça, ai-je confirmé. Et elle va bien.

Est-ce que je devais changer la couche d'Emma maintenant ou attendre que Véronica soit partie ? J'ai décidé d'attendre. Je ne voulais pas lui paraître impoli en disparaissant avec Emma alors qu'elle n'était même pas encore assise. Véronica a pris place sur le canapé. Je me suis posé sur le fauteuil en face. Emma jouait entre nous deux. J'ai attendu que Véronica m'explique ce qu'elle voulait.

– Comment vas-tu ? m'a-t-elle demandé.

J'ai froncé les sourcils.

– Bien, merci. Mais je suppose que vous n'avez pas fait tout ce chemin pour prendre de mes nouvelles.

– En fait, si. Enfin, en quelque sorte.

Je commençais à avoir un mauvais pressentiment.

– Je ne sais pas si tu le sais mais je suis assistante sociale.

Chaque cellule de mon corps était en alerte rouge.

– Oui, Colette me l'a dit, ai-je répondu prudemment en me demandant où elle voulait en venir.

– Ma sœur m'a raconté que ton ex-petite amie était venue te voir avec un bébé et que...

Rapide coup d'œil à Emma.

– ... tu te retrouvais à t'occuper seul de ce bébé.

– Je ne suis pas seul. Mon père et mon frère m'aident.

Qu'est-ce qu'elle fichait ici ?

– Pourquoi êtes-vous venue ?

– Ne t'inquiète pas. C'est une visite officieuse. Colette m'a dit que tu étais profondément malheureux.

– Ça va mieux.

Ça *commence* à aller mieux aurait été plus exact, mais elle n'avait pas besoin d'être informée de tous les détails.

– Ça ne doit pas être facile quand même ? a suggéré Véronica.

J'ai haussé les épaules sans répondre.

– Comme je te l'ai dit, je ne suis pas en service mais il est de mon devoir de m'assurer qu'Emma bénéficie d'un environnement stable et épanouissant.

Mon sang s'est glacé dans mes veines.

– Qu'est-ce que vous sous-entendez ? Qu'est-ce que Colette vous a raconté ?

– Rien de spécifique, a répondu Véronica, mais élever un enfant peut être décourageant pour des parents, même quand l'enfant a été désiré. Tu n'as que dix-sept ans et Emma...

Nouveau rapide coup d'œil à ma fille.

– ... je veux dire, vous n'avez pas décidé de la concevoir, n'est-ce pas ?

Je suis resté silencieux. Je devenais soudain conscient du champ de mines au milieu duquel je me trouvais.

– Si j'ai bien compris, tu cherches un moyen d'échapper à ta situation actuelle, a repris Véronica.

– On vous a mal informée, ai-je répliqué. Emma est ma fille et ma responsabilité. Je n'essaie absolument pas d'échapper à quoi que ce soit.

Véronica a eu l'air perplexe.

– Mais tu dois aller à l'université.

– J'ai annulé mon inscription.

– Et que comptes-tu faire maintenant ?

– Trouver un travail afin de pouvoir élever ma fille.

– Qui gardera ta fille quand tu seras au travail ?

En quoi ça la regardait ? J'ai eu du mal à ravaler les mots qui me venaient. Je devais être prudent. Cette femme avait le pouvoir de faire en sorte que ma vie entière la regarde. Sa présence me mettait un peu plus en colère à chaque seconde qui passait.

– Je cherche un travail le soir ou la nuit de façon à ce que mon père puisse s'occuper d'Emma durant mon absence.

– Quel genre de travail ?

– Je ne sais pas. Je n'ai pas encore trouvé.

– Et que se passera-t-il quand ton père ne sera pas disponible ?

– Je commencerai par ne travailler qu'à temps partiel. Peut-être trois ou quatre soirs par semaine. Mon père et moi sommes en train de réfléchir à un emploi du temps valable.

– Hmm...

Véronica n'avait pas l'air convaincue.

– Et que se passera-t-il quand Emma sera malade ou qu'elle aura besoin de toi près d'elle durant tes heures de travail.

– La même chose que pour n'importe quel autre parent, ai-je riposté. Je reviendrai à la maison m'occuper de ma fille.

– Hmm... Écoute-moi, Dante. Je ne crois pas que tu t'en sortes.

– Qu'est-ce qui vous fait dire ça ?

– Je sens la couche d'Emma d'ici et tu ne la changes pas !

Calme-toi, Dante, reste calme.

– Je sais que sa couche a besoin d'être changée mais je ne pensais pas que vous resteriez si longtemps, sinon j'y serais allé plus tôt.

– Mais je t'en prie...

C'était un test ?

Après une seconde d'hésitation, j'ai décroché le sac d'Emma de la poignée de sa poussette appuyée contre le mur et j'ai commencé à changer ma fille sans un mot. Mais ma colère était telle que Véronica ne pouvait pas ne pas la sentir.

– Je suis de ton côté, Dante, a-t-elle dit alors que j'attachais la couche d'Emma.

Ce n'est pas du tout l'impression qu'elle me donnait.

– Tu as donc décidé de garder Emma ?

– C'est ma fille, ai-je répliqué.

Je ne pouvais pas mieux répondre à sa question.

– Tu y as vraiment bien réfléchi ?

Elle plaisantait ou quoi ?

– Je n'ai fait que ça. Emma n'est avec moi que depuis quelques semaines et j'ai encore beaucoup à apprendre. Mais je sais que je peux être un bon père si on me laisse une chance.

– Tu n'as que dix-sept ans, Dante. Tu n'as ni la patience ni les capacités d'un adulte.

Je n'étais pas d'accord avec ça.

– Il y a des tas de parents plus âgés qui battent leurs enfants ou qui ne s'en occupent pas. Je n'ai que dix-sept ans et je n'y peux rien. J'aurai dix-huit ans dans deux semaines et ma famille me soutient.

Véronica a hoché la tête.

– Je suis heureuse de l'entendre parce que si je me rendais compte que l'environnement dans lequel Emma est élevée est nocif, je pourrais être amenée à faire un certain nombre de démarches.

Je me suis levé.

– Vous parlez de placer ma fille ?

– En dernier ressort, oui. Mais il y a des étapes intermédiaires avant d'arriver à cette extrémité.

Je ne l'écoutais plus vraiment. Je me suis penché pour prendre Emma. Je l'ai serrée contre moi. Elle a posé sa tête sur mon épaule en suçant son pouce. J'aurais voulu lui dire de ne pas faire ça, que ça risquait de lui déformer les dents mais si je lui ôtais le pouce de la bouche, est-ce que Véronica n'allait pas me trouver cruel ? S'en servirait-elle contre moi ?

– Dites-moi, ai-je craché amèrement, aurions-nous la même conversation si j'étais la mère d'Emma et pas son père ?

Véronica a froncé les sourcils.

– Je ne crois pas que cette question soit très importante.

– Ah oui ? Vous supposez que je ne suis pas capable de m'occuper d'Emma parce que je suis un garçon. Je vais donc forcément échouer. Mélanie ne m'a même pas dit qu'elle était enceinte. Elle ne m'a pas informé de la naissance de ma fille. Elle est venue ici et m'a annoncé qu'elle ne se sentait plus capable de s'occuper d'Emma, elle me l'a laissée et a disparu.

C'est elle qui est partie dans le nord sans laisser d'adresse. Et c'est moi que vous venez condamner !

Je n'avais pas crié et pourtant j'en avais envie. J'aurais bien balancé cette conne par la fenêtre. Comment osait-elle ? Et de quoi se mêlait Colette ?

– Je vois que je te contrarie, a dit Véronica en se levant.

– Bien sûr que vous me contrariez ! Vous me menacez de m'enlever ma fille pour l'unique raison de mon âge et de mon sexe !

Véronica m'a observé.

– Crois-le ou non, Dante, je suis de ton côté. C'était vraiment une visite officieuse. Je vois bien que tu as créé un lien avec ta fille et je suis ici pour t'aider. Mais je veux aussi que tu réalises que tu t'engages pour au moins les dix-huit prochaines années. Réfléchis bien.

– C'est tout réfléchi. Et comme je vous l'ai dit, je suis à la recherche d'un emploi.

– Je ne parle pas seulement de travail, a repris Véronica.

– De quoi alors ?

– Tu dois prendre un certain nombre d'autres facteurs en considération.

– Comme ?

– Comme où dort Emma ?

– Dans un lit de bébé au pied de mon lit.

– Et dans cinq ans, où la feras-tu dormir ?

Quoi ?

– J'en sais rien.

– Ce que j'essaie de te faire comprendre, c'est qu'elle aura bientôt besoin d'avoir une chambre à elle. Colette m'a dit que cette maison n'en a que trois, une pour toi, une pour ton frère et une pour ton père. Quelle place cela laisse-t-il à Emma ?

– Je peux partager la chambre de mon frère et laisser la mienne à Emma, ai-je répondu. Mon but est de prendre un appartement pour Emma et moi dès que je le pourrai.

J'avais des tas de buts : mon appartement, un bon travail, un avenir pour moi et ma fille, mais c'était inutile de les énumérer.

– Et il n'y a pas que ça, a repris Véronica. L'as-tu emmenée faire une visite médicale ? L'as-tu seulement déclarée chez ton médecin de famille ? Il y a des tas de démarches administratives à faire si tu comptes garder ta fille.

– Je n'avais pas prévu d'amener Emma chez le docteur tant qu'elle n'était pas malade, mais d'accord, on ira demain matin. Je ferai tout ce qu'il faut. Emma reste avec moi. Je ne laisserai personne me la prendre !

Emma a dû ressentir la tension parce qu'elle a commencé à pleurnicher. Encore quelques secondes et elle hurlerait.

– Ta réaction est tout à ton honneur, a souri Véronica. Je te laisse mon numéro. Si tu as besoin d'aide ou d'un conseil, appelle-moi.

Elle a sorti une carte professionnelle de son sac et a griffonné son numéro de portable au dos. Elle me l'a ensuite tendue. J'ai hésité avant de la prendre.

– J'ai un autre rendez-vous maintenant, mais je veux que tu comprennes bien que nous faisons tout ce qui est en notre pouvoir pour que les familles restent ensemble. Je suis vraiment de ton côté.

Oui, c'est ça.

– Ta fille est très belle, a-t-elle ajouté. Et elle te ressemble incroyablement.

Je n'ai rien dit.

– Au revoir, Emma.

Véronica a fait le geste de caresser la joue d'Emma mais je me suis reculé pour la guider jusqu'à la porte. Je l'ai ouverte et me suis écarté pour la laisser passer. Elle m'a tendu la main. Je tenais Emma, je ne pouvais pas la lui serrer.

– Prends soin de toi et de ta fille, a dit Véronica en laissant retomber son bras.

– J'en ai bien l'intention.

– Moi ou un de mes collègues reviendra dans quelques semaines discuter avec toi et ton père pour s'assurer que tout va bien.

Elle est partie. Ses derniers mots résonnaient à mes oreilles.

Menace ou promesse?

L'un ou l'autre, ça ne pouvait amener que des problèmes.

32. Dante

– Arrête de paniquer, Dante !

– C'est facile à dire, Papa !

Je criais presque dans le téléphone.

– Ce n'était pas une visite officielle.

– N'empêche qu'elle est venue, qu'elle m'a posé cent mille questions ! Et si elle essaie de me prendre Emma ?

– Tu extrapoles complètement ! Cette femme t'a expliqué qu'ils ne faisaient ça qu'en dernier ressort. Les autorités ne te prendraient Emma que si elle était en danger avec toi, ce qui n'est pas le cas. Alors calme-toi.

Des tas de phrases que je n'avais entendues qu'à la télé fusaient dans ma tête. Du genre « registre des familles à risques », « juge aux affaires familiales », « placement en famille d'accueil ». C'est pourtant moi qui, quelques semaines plus tôt, avait cherché sur Internet comment faire placer ma fille. Quand je regardais en arrière, je ne me reconnaissais pas. C'était quoi déjà le proverbe ? Prends garde à ce que tu souhaites, les dieux pourraient te l'accorder. J'ai pris une longue inspiration pour essayer de suivre le conseil de mon père.

– Papa, je... je suis super inquiet.

– Tu veux que je rentre à la maison ?

– Pour quoi faire ? Véronica est partie de toute façon.

– Je sais. Mais si tu as besoin de moi, je peux rentrer.

– Tu ferais ça ?

– Bien sûr, a acquiescé Papa impatiemment. Tu es mon fils, Dante. Si tu as besoin de moi, je rentre à la seconde. Enfin, il faudra quand même le temps que le train m'amène à la maison.

– Merci Papa, mais ça va aller, ai-je murmuré, un peu moins anxieux. Merci de me l'avoir proposé.

– Si tu changes d'avis, tu me rappelles, d'accord ?

– D'accord.

– Je ne rentre pas tard ce soir. Je serai à la maison à 6 heures et demie.

– D'accord. Merci.

– Dante, ne laisse pas cette Véronica t'angoisser comme ça. Emma est avec sa famille et ça ne changera pas. À tout à l'heure, mon fils.

Papa a raccroché.

C'était bon, non, c'était génial de sentir que Papa me soutenait. Pour la première fois, j'ai pensé à ce qu'il vivait de son côté. Ça n'avait pas dû être facile de nous élever tout seul, mon frère et moi, après la mort de Maman. De payer toutes les factures et l'emprunt pour la maison. Et voilà que maintenant, il avait trois personnes à charge. Il fallait que je trouve un travail. Et vite. Il fallait que ça marche, maintenant plus que jamais.

Mais avant toute chose, j'avais un petit coup de fil à passer.

– Allô ?

– Colette ?

– Oui, c'est moi.

J'ai inspiré doucement pour apaiser la colère qui bouillait en moi.

– Allô, a-t-elle répété.

– Je viens d'avoir la visite de ta sœur.

– Dante ? Coucou ! Ça va ?

– Véronica vient de me rendre visite, ai-je répété.

– Super ! Elle m'avait promis de passer te voir.

Une nouvelle inspiration. Ma colère bouillait de plus belle.

– Tu as parlé d'Emma et moi à ta sœur ?

– Oui, a répondu Colette, surprise. Je lui ai dit que tu ne t'en sortais pas.

– Pourquoi tu as fait ça ?

Les mots venaient hachés et durs. Encore une inspiration. Du calme, Dante. Ne t'énerve pas.

– Pour t'aider. Pour que le bébé soit placé et que tu récupères ta vie, a répondu Colette. Je ne t'ai vu que deux fois depuis qu'il est là. Il t'empêche de réaliser tes projets et j'ai envie que les choses redeviennent comme avant.

Colette parlait de ma fille comme d'un obstacle qui devait être abattu.

– Il, ce bébé, a un nom, Colette. Elle s'appelle Emma. Et Emma est ma fille.

– Tu ne l'as pas choisie.

J'ai dû me mordre la joue pour ne pas répondre immédiatement.

– Qu'as-tu dit à ta sœur exactement ? lui ai-je demandé quand j'ai pu enfin parler.

– Seulement ce que tu m'as dit toi, a répliqué Colette. Que tu avais Emma sur les bras et que tu n'en voulais pas.

– Tu n'avais pas le droit ! ai-je hurlé.

– Pardon ?

– Tu n'avais aucun droit d'interférer dans ma vie ! Tu n'avais pas le droit de jeter ta sœur sur moi comme un pitbull juste parce que tu te sentais négligée !

– Ce n'est pas ce que j'ai fait. J'essayais juste de t'aider…

– En laissant ta sœur me prendre Emma ?

– Mais tu ne la veux pas, tu…

– Colette, mets-toi ça dans la tête parce que je ne le répéterai pas. Emma est ma fille et elle doit rester avec moi. Elle doit rester avec moi ! Si ça ne te plaît pas, tant pis pour toi ! Dis à ta sœur que je me débrouille très bien et que je n'ai pas besoin que vous fourriez votre nez dans mes affaires ! Amuse-toi bien à l'université !

J'ai raccroché. Une seconde plus tard, mon téléphone sonnait. Je n'ai décroché que pour mieux raccrocher. Avec un peu de chance, elle aurait reçu le message.

Je suis retourné dans le salon. J'ai tendu mes bras vers Emma.

– Viens avec Papa. On va aller te chercher à boire.

Emma s'est dandinée vers moi et m'a pris la main sans hésitation. Sa paume était chaude et ses doigts si minuscules. Nous nous sommes souri et nous sommes allés vers la cuisine. Je l'ai installée dans sa chaise haute et j'ai versé un peu de jus de raisin dilué dans son verre canard. Je l'ai regardée boire avidement. Je devais avoir une poussière dans les yeux parce qu'ils sont soudain devenus humides. Et j'avais dû avaler mon petit déjeuner trop vite parce que j'avais comme une boule dans la gorge.

– Tu restes avec Papa, ai-je murmuré à Emma. Je te promets que personne ne changera jamais ça.

33. Adam

Je ne peux plus continuer comme ça.

Ce que je suis n'est pas mal. Je n'ai pas à avoir honte. Et pourtant, c'est ce que je ressens. C'est ce qu'il me fait ressentir. Pourquoi m'a-t-il demandé de sortir avec lui ? C'était son idée, pas la mienne. Mais je crois que maintenant, il me voit comme un spot l'éclairant sans pitié et attirant trop l'attention sur lui.

Je veux vivre ma vie en plein jour. Il veut que je la vive dans l'obscurité et le secret. Comme lui. Il veut se cacher. Il espère que personne ne le remarquera.

Je ne peux pas vivre comme ça.

Je ne veux pas.

Je l'aime mais je crois que… qu'il est temps d'arrêter. Je ne l'avais pas compris jusqu'à maintenant mais il est tout ce que je refuse.

Ça ne pourra pas marcher entre nous tant qu'il n'apprendra pas à s'accepter tel qu'il est. Je commence à croire que ça n'arrivera jamais. Ce que je sais en tout cas, c'est que rien de ce que je peux lui dire ne l'aide dans ce sens.

Et je suis fatigué d'attendre.

34. Dante

Le lendemain matin, j'étais le troisième devant chez le médecin à attendre qu'il ouvre son cabinet. Une pancarte sur la porte demandait que les poussettes soient laissées sous le porche. J'avais Emma calée sur un bras et, de ma main libre, je pliais sa poussette. Pourquoi est-ce que tout le monde détestait les poussettes ? Heureusement, nous n'avons pas eu à attendre longtemps. Les deux personnes devant moi se sont enregistrées à la réception et sont directement entrées dans la salle d'attente.

– Je peux vous aider ? s'est enquise la secrétaire alors que j'arrivais devant elle.

– Bonjour. Oui, je voudrais enregistrer Emma auprès d'un médecin, s'il vous plaît.

– Êtes-vous enregistré chez nous ? a demandé la secrétaire.

– Oui.

Je lui ai donné mon nom et mon adresse. Elle avait le nez collé à son écran.

– Et quel âge a... euh... Emma ?

– Elle aura un an le mois prochain.

La secrétaire a froncé les sourcils avant de lever les yeux vers moi.

– Avez-vous sa carte de sécurité sociale, son certificat de naissance et son carnet personnel ?

– Euh... non. C'est quoi son carnet personnel ?

– Son carnet de santé.

Devant mon regard vide, la secrétaire a précisé :

– Le carnet où sont notées ses vaccinations, les détails concernant sa naissance, ce genre de choses. Et je vais aussi avoir besoin d'une photo et d'une pièce d'identité de la personne désirant l'enregistrer.

– Une pièce d'identité ?

– Passeport, permis de conduire... Il me faudra aussi une facture récente comme justificatif de domicile.

Bon sang ! Moi qui pensais que ça ne me prendrait pas plus d'une minute ! J'ai secoué la tête.

– Je n'ai aucun de tous ces documents. Je croyais que vous auriez juste besoin de son nom, de son adresse et de sa date de naissance.

La femme m'a adressé un regard de pitié.

– Je crains que non. Peut-être devrais-tu dire à ta mère de venir enregistrer ta petite sœur elle-même ?

– Ma mère est morte.

– Oh.

La femme a pris un air gêné.

– Euh... eh bien, ton père pourrait-il se déplacer ?

Bon sang !

– Emma est ma fille. Mon père est son grand-père, ai-je répondu en essayant de garder un ton monocorde.

– Ta fille ?

Et c'était reparti. J'ai soupiré intérieurement.

– Et tu as...

La secrétaire s'est repenchée sur son écran.

– ... dix-sept ans.

– J'aurai dix-huit dans deux semaines.

– Ah, je vois. Peut-être que sa mère peut venir alors...

– Les hommes n'ont pas le droit de se charger de ces démarches ou quoi ?

– Non, non, ce n'est pas ce que je voulais dire. C'est juste qu'il sera peut-être plus facile pour la maman d'avoir tous les documents, elle pourrait alors...

– La mère d'Emma n'est plus dans les parages.

J'en avais assez de devoir m'expliquer à chaque fois.

– Je m'occupe de ma fille et tout ce que je veux, c'est l'enregistrer auprès d'un médecin.

– Si tu peux revenir avec tous les papiers que j'ai énumérés, il n'y aura pas de problème.

J'avais envie de me frapper la tête contre le comptoir.

– Très bien.

Ma patience ne tenait plus qu'à un fil.

– Je reviendrai.

J'ai fait demi-tour et je suis ressorti, ignorant les regards curieux de ceux qui avaient tendu l'oreille derrière moi dans la file.

– Bon, Emma, ça va être un peu plus « c » que prévu, ai-je expliqué à ma fille en la remettant dans sa poussette. Le « c » voulant dire « compliqué » ou « chiant », comme tu préfères !

– Rannnghhh… flllufff, a-t-elle acquiescé.

De retour à la maison, j'ai feuilleté les papiers laissés par Mélanie. J'aurais dû le faire plus tôt. Et maintenant que j'y pensais, je me rappelais que Papa me l'avait demandé à plusieurs reprises. J'ai trouvé un carnet rouge sur lequel était écrit en doré *Carnet de santé*. À l'intérieur se trouvaient des feuilles pliées en deux. L'une d'entre elles donnait des détails sur l'accouchement de Mélanie. Les contractions avaient duré sept heures et elle avait eu une déchirure et une petite hémorragie. Bon sang… c'était horrible. Qui avait été avec elle à ce moment ? Sa mère ? Sa tante ? Avait-elle été seule ? Personne ne devrait traverser une telle épreuve seul. Elle aurait dû me prévenir, me donner une chance de me faire à l'idée et de l'aider. J'aurais dû être auprès d'elle. Pas seulement pour Emma et Mélanie mais pour moi aussi. Pourquoi Mélanie ne m'avait-elle rien dit ?

S'était-elle dit que ça me ferait fuir ?

Aurais-je essayé de la persuader d'avorter ?

Me serais-je lavé les mains de toute l'affaire ?

En réalité, je ne savais pas. J'ai regardé Emma assise sur la moquette en train de jouer avec son nounours et je ne savais vraiment pas.

Il y avait des tas d'autres informations dans le carnet. Des trucs auxquels je ne comprenais rien. Du genre *score d'Apgar* et *présentation : occipito anterior.* Je ne savais même pas quelle langue c'était. Un peu plus loin, j'ai trouvé les vaccins qu'Emma avait déjà eus. Je devais lui en faire faire un autre entre ses douze et ses quinze mois. Il y avait des graphiques de poids et de taille, des pages de conseils et des commentaires écrits par une infirmière ou lors d'une visite médicale. Ce n'était pas grand-chose mais ça avait le mérite de remplir quelques blancs.

Vaccins, travail, une place dans une crèche, les écoles du quartier, suivi du développement… je devais réfléchir à tout ça et agir en fonction de ces éléments. Et sûrement d'autres. Je n'avais pas le droit à l'erreur si je voulais garder ma fille.

Et je le désirais plus que tout.

Mais il fallait que je trouve un moyen.

35. Adam

Oh, bon sang ! J'aimerais qu'il cesse de me téléphoner, de m'envoyer des textos, de me bombarder d'e-mails et de messages. Ça me rend cinglé. J'en suis au point d'avoir peur d'allumer mon téléphone.

C'est fini.

Pourquoi ne le comprend-il pas ? Croit-il que c'est facile pour moi ? Ce n'est pas ce que j'espérais. J'avais pensé que peut-être…

C'était idiot.

Pourquoi ne peut-il pas comprendre que je ne fais que lui donner ce qu'il demande : une vie simple et ennuyeuse d'hétérosexuel moyen !

Pourquoi ne me laisse-t-il pas tranquille ?

36. Dante

Le premier anniversaire d'Emma. Avec gâteau et bougie. Nous avons chanté « Joyeux anniversaire » et l'avons aidée à souffler. Elle a adoré ça. Et elle a également adoré les jouets et les vêtements que mon père, ma tante et mon frère lui ont offerts. D'autres animaux de ferme en plastique et des cubes alphabet de la part de mon père, une robe jaune et des petites chaussures assorties de la part d'Adam, de l'argent de la part de tante Jackie. Papa a ressorti son appareil photo dont la sacoche était couverte de poussière et a pris assez de clichés pour remplir douze albums. Comme au bon vieux temps. J'étais content de voir mon père avec son appareil. Nous avons tous posé avec Emma, en train de la tenir, de la faire marcher, de la lever au-dessus de nos têtes, de la câliner, de la porter sur nos épaules (ça lui a énormément plu !). Il suffisait de demander et clic, Papa appuyait sur le bouton. Adam était aux anges, évidemment. À la simple vue d'un objectif, il pétille comme du champagne. Mais même lui a su s'effacer pour laisser Emma être la reine de la fête. Nous avons butiné autour d'elle comme des abeilles et elle en a profité autant qu'elle le pouvait.

C'était génial.

Une semaine plus tard, c'était mon tour. Dix-huit ans. Mais je n'avais aucune envie de gâteau ou de cadeaux.

– Si vous voulez dépenser de l'argent, achetez quelque chose à Emma, ai-je prévenu Papa et Adam.

Je n'ai pas eu besoin de le répéter deux fois à mon père.

Je n'avais rien prévu de spécial mais Papa a mis les pieds dans le plat.

– Dante, je voudrais que tu sortes avec ton frère et que vous alliez vous amuser. C'est ton anniversaire ! Allez manger quelque part ou voir un film… C'est moi qui invite.

– Et Emma ?

Papa a haussé un sourcil.

– Je la garde.

– Euh… je ne suis pas sûr que ça sera du meilleur effet si Véronica pointe le bout de son nez.

Je n'avais plus entendu parler de la sœur de Colette mais je ne doutais pas une seconde qu'elle reviendrait. Sa visite était comme une épée de Damoclès au-dessus de ma tête.

– On se fout de Véronica, a affirmé mon père. C'est ton anniversaire. On n'a dix-huit ans qu'une fois et passer une soirée sans ta fille ne fait pas de toi un mauvais père. Va t'amuser ! Adam, emmène ton frère et rappelle-lui comment prendre du bon temps.

Il a sorti quelques billets de sa poche.

– Allez ! Dégagez et amusez-vous bien !

Je n'étais pas très sûr d'y arriver. J'ai pris Emma dans mes bras pour lui expliquer.

– Papa va sortir un petit peu mais il sera revenu avant même que tu t'en rendes compte.

– Oh, bon sang ! s'est exclamé Papa. Tu seras absent deux heures ! Tu ne pars pas pour une expédition dans l'Antarctique. Emma sera très bien avec moi. Allez, va-t'en !

Pour être honnête, ça m'a fait drôle, mais c'était agréable de quitter la maison sans la poussette.

Papa a amené Emma dehors pour qu'elle nous voie partir.

– Dis au revoir à Papa !

– Dannngh ! a lancé Emma en agitant la main.

– Au revoir, Emma. À tout à l'heure.

J'avais la gorge un peu serrée. J'étais sur le point de revenir vers elle quand Adam m'a attrapé le bras et m'a entraîné.

– Dante, tu es pathétique, m'a-t-il sermonné.

– D'accord, d'accord, ai-je grogné.

Après un dernier signe à Emma, Adam et moi nous sommes éloignés.

– Qu'est-ce que tu as envie de faire ? ai-je demandé à mon frère.

Il a haussé les épaules.

– On va au Bar Belle ?

– On pourrait pas changer pour une fois ? ai-je suggéré.

Je n'avais pas un très bon souvenir de la dernière fois où j'y avais mis les pieds.

– Non, le Bar Belle, ce sera cool, a insisté Adam.

– Ce sera comme d'habitude, ai-je soupiré.

Adam a souri.

– C'est ce que je dis. Allez, s'il te plaît ?

– Bon, d'accord, ai-je accepté avec réticence.

– Yes !

Adam a sauté et donné un coup de poing dans le vide. Il s'est tourné vers moi, un grand sourire aux lèvres et une étincelle de malice dans l'œil. Je me suis aussitôt mis sur mes gardes.

– Quoi ? Qu'est-ce que tu mijotes ?

– Rien, a répondu mon frère avec un air innocent.

– Hmmm.

Je l'ai dévisagé, soupçonneux.

– Quoi que ce soit, t'as pas intérêt à me mettre dans une situation gênante, compris ?

– C'est pas mon genre, a rétorqué mon frère.

Ses yeux pétillaient et tout son corps tressaillait d'excitation.

Le Bar Belle était incroyablement bondé pour un mercredi soir. Il y avait une demi-heure d'attente avant d'obtenir une table et j'avais de plus en plus envie de lever le camp.

– On y est maintenant, a insisté mon frère.

On est allés patienter au bar. Adam a essayé de commander une piña colada – comme si j'allais le laisser faire ! Papa m'aurait tué. Quant à moi, même si j'avais dix-huit ans, j'ai préféré m'en tenir à une boisson sans alcool. Adam s'est assis avec son cocktail sans rhum en râlant, mais je lui ai rappelé que pas plus qu'Emma, il n'avait aucune chance de boire de l'alcool en ma compagnie avant ses dix-huit ans.

– Il faut que je parle avec un serveur, a soudain lancé Adam en sautant de son tabouret. Je reviens tout de suite.

C'est là que j'ai compris.

– Adam, non.

– Non quoi ?

– Tu vas prévenir le serveur que c'est mon anniversaire et je ne veux pas d'une glace avec une bougie à étincelle, merci ! Et je ne veux pas non plus que tout le monde se mette à chanter « Joyeux anniversaire » en chœur.

– Mais Dante…

– Lis sur mes lèvres : N-O-N !

– T'es d'une tristesse ! a boudé mon frère en se rasseyant.

Il était cinglé s'il pensait vraiment que j'allais me faire avoir aussi facilement. J'ai secoué la tête et essayé de changer de sujet. J'ai tenté le football mais mon frère n'aurait pas été capable de différencier un ballon de foot d'une boule de bowling et j'ai abandonné. Tennis, cricket, athlétisme étaient les seuls sports dont Adam avait entendu parler mais pour moi le tennis était inintéressant – tous les grands joueurs gagnaient au service, ce qui était très bien pour eux mais horriblement ennuyeux à regarder. Assister à un match de cricket m'excitait autant que de regarder pousser mes ongles de pied et l'athlétisme ne collait pas à mon goût pour le contact physique. Adam a commencé à me parler de stylistes ou de réalisateurs mais il a arrêté en voyant mes paupières tomber. On est passés au rugby puis à une émission de télé-achat, aux courses de voitures et aux exploits d'une star d'Hollywood avec un peu plus de succès. Je me suis rendu compte que ça faisait longtemps qu'on n'avait pas pris un moment pour discuter ensemble, mon frère et moi. Nous nous étions tellement éloignés l'un de l'autre que nous n'avions plus grand-chose en commun.

On s'est quand même mis d'accord sur la musique. C'était toujours ça de pris.

– Salut Dante.

J'ai regardé derrière moi. Josh, Paul et Logan faisaient la queue pour avoir une table. La présence de Logan m'a étonné. Il avait postulé pour la section économie politique à l'université et, à ma connaissance, il avait obtenu d'assez bonnes notes pour décrocher une place. Alors qu'est-ce qu'il fichait ici ? Paul avait trouvé un travail chez un vendeur de voitures. Pour Josh, je ne savais pas.

– Salut, les gars.

– Salut Josh, a lancé Adam.

Josh n'a même pas regardé mon frère. Il s'est tourné vers moi.

– Eh, Dante, ça fait longtemps que je t'avais pas vu.

Adam a replongé le nez dans son cocktail, l'air... soucieux.

– Josh, mon frère t'a dit « bonjour », ai-je grondé.

– Je l'ai entendu, a rétorqué Josh.

– Alors ne l'ignore pas !

– Laisse tomber, Dante, m'a soufflé Adam. C'est pas grave.

Ça l'était pour moi.

– Adam, j'en ai marre que Josh te traite comme une merde !

– Oh bon Dieu ! s'est écrié Josh. Salut Adam, comment vas-tu ? Tu es content maintenant, Dante ?

– Ravi !

L'attitude de Josh envers mon frère me mettait en colère. Je n'aurais pas voulu qu'on traite ma fille de cette manière, pas question qu'on se le permette avec mon frère.

– C'est bon, les gars, calmez-vous, a tenté Paul.

– Alors Paul, comment se porte le marché automobile ? lui ai-je demandé. Et qu'est-ce que t'as fait à tes cheveux ?

Les cheveux habituellement châtain clair de Paul étaient maintenant orange vif.

– J'avais envie de changement, a-t-il répondu en passant la main sur sa tête. Tu trouves ça comment ?

– Euh… tu veux que je sois franc ?

Paul a levé les yeux au ciel.

– Laisse tomber.

– Et comment ça marche la vente de voitures ? lui ai-je redemandé.

– Ça va.

– Ça t'arrive de travailler de nuit ? me suis-je renseigné. Peut-être y aurait-il une place pour moi ?

– Tu rigoles ? a ricané Paul. Je prendrais jamais un job où je risque de bosser la nuit. Je suis comme les vampires, c'est là que je me réveille !

Tu parles ! Mais bon, pas de boulot pour moi. Je me suis adressé à Logan.

– Et toi ? Je croyais que tu étais parti à l'université.

– La semaine prochaine, a grommelé Logan.

– Ah, OK.

Quand j'ai de nouveau regardé Josh, il fixait mon frère avec insistance. Adam faisait de son mieux pour ne rien remarquer.

– Ça va, Josh ? ai-je demandé.

Josh a sursauté.

– Hein ? Ouais, ça va. Et toi, qu'est-ce que tu as fait ces derniers temps ?

– Je m'occupe de ma fille.

– Et à part ça ?

Marrant. J'avais posé cette question à Mélanie et elle avait eu un petit sourire. Je la comprenais maintenant. S'occuper d'un enfant était un travail à plein temps. Pas étonnant que Mélanie n'ait même pas daigné me répondre. J'ai eu de la chance qu'elle ne me donne pas un coup de boule. Mais ça ne servait à rien d'expliquer ça à Josh.

– Et qu'est-ce que vous faites là ? a lancé Logan.

– On fête l'anniversaire de Dante, a dit Adam avant que je puisse l'en empêcher.

– Ah oui, c'est vrai ! s'est exclamé Josh. Je voulais t'envoyer un SMS. Bon anniversaire !

– Merci.

Je me suis retourné vers mon verre en espérant que Josh et ses potes comprendraient le message et retourneraient à leur place dans la file. Sauf qu'Adam m'a stupéfait en leur demandant :

– Vous voulez vous joindre à nous ?

Je lui ai jeté un regard étonné et j'ai de nouveau levé les yeux vers eux. Paul souriait comme si c'était la meilleure idée depuis l'invention de la roue. Logan épiait la réaction de Josh, qui semblait aussi mal à l'aise que moi.

– D'accord, a lâché Logan avant que Josh ou moi ayons eu le temps de trouver une excuse.

À quoi jouait Adam ? Pourquoi les avait-il invités à se joindre à nous ? Il ne supportait pas Josh.

Nous avons encore dû attendre dix minutes avant qu'une table pour cinq – c'étaient en fait deux tables carrées côte à côte – se libère. Adam était à ma droite, Logan à ma gauche. Josh avait Adam face à lui et Paul à côté. La conversation était un peu laborieuse au début mais assez vite, on s'est retrouvés à rire comme au bon vieux temps. C'était cool. Le seul problème, c'était que mes copains descendaient bière sur bière et, quand nos entrées sont arrivées, ils étaient déjà bien entamés. Ils ont continué de boire en mangeant et en attendant le plat principal. Quand on nous l'a enfin apporté, les frites n'ont pas tardé à voler ; un peu gêné, j'ai regardé autour de nous. Nous étions le centre de l'attention générale et si les regards pouvaient tuer, nous serions morts et enterrés. Les serveurs nous jetaient également des coups d'œil assassins. Si les autres n'arrêtaient pas, on n'allait pas tarder à se faire mettre dehors.

– Eh les gars, c'est mon anniversaire et j'ai pas envie de me faire jeter du Bar Belle, ai-je essayé de les raisonner.

J'aurais aussi bien pu pisser dans un violon.

Adam savourait sa verdure – ils appelaient ça une salade Caesar sur le menu – et souriait aux pitreries des autres comme si se jeter de la nourriture à la figure était le truc le plus drôle du monde. Moi ? Je m'ennuyais à cent sous de l'heure.

– Je peux te prendre une frite, Josh ? a demandé mon frère, la main déjà au-dessus de l'assiette de Josh.

Josh a saisi le poignet d'Adam et l'a tordu méchamment.

– Je ne veux pas de ta main dans ma bouffe, espèce de pédale !

– Josh ! s'est étranglé Adam.

Le silence est tombé sur notre table comme une tonne de briques. J'avais du mal à respirer. Les épaules d'Adam se sont affaissées. Il a baissé la tête. J'ai tout de suite su qu'il était au bord des larmes. J'ai repoussé ma chaise.

– Josh, lâche mon frère. Tout de suite !

Josh fixait Adam avec une haine qui se déversait sur la table comme de la lave brûlante. J'étais debout. Josh a lâché le poignet d'Adam. Mon frère a récupéré son bras en le frottant, la tête toujours baissée.

– Désolé, Dante, mais je ne veux pas que ton frère touche ma nourriture, a craché Josh avant d'ajouter : On ne sait jamais ce que je pourrais attraper !

Je me suis déplacé vers Josh, prêt à lui enfoncer la tête dans la table, mais Adam s'est levé pour me barrer le passage.

– Bouge de là, Adam, lui ai-je ordonné.

– Non, Dante. Il n'en vaut pas la peine. C'est juste un lâche qui a peur de tout et de tout le monde.

Mais j'entendais à peine les mots de mon frère. Je voulais mettre un point final à cette conversation avec mes poings. Si seulement Adam voulait bien dégager de là…

– Ne t'avise plus jamais, tu m'entends, plus jamais de parler comme ça à mon frère ! ai-je sifflé à Josh.

Logan s'en est mêlé.

– Eh Josh, de quoi il parle, Adam ? Y a un truc que tu nous as pas raconté ?

Les narines frémissantes, Josh s'est levé à son tour. Si seulement mon frère voulait dégager de là…

– Messieurs ! Si vous ne pouvez pas vous tenir correctement, je vais devoir vous demander de quitter l'établissement.

Le patron était apparu de nulle part. Derrière lui, les trois serveurs les plus costauds de l'équipe. Ils avaient l'air de mourir d'envie de nous botter le cul. Josh a repoussé son assiette d'un air dégoûté.

– Allez, les gars, on se casse. J'ai plus faim de toute façon.

Paul avait une mine consternée et se demandait manifestement comment on avait pu passer d'une bataille de frites à une vraie bagarre en moins de cinq secondes. Josh avait la mâchoire crispée et les poings serrés. J'étais prêt pour lui. Mais c'est Logan qui m'a étonné. Il souriait. Il ne riait pas à ce que Josh avait dit sur mon frère. Non, il avait un léger sourire qui n'était destiné qu'à Josh.

Il a été le dernier à se lever. Nous avons échangé un regard de dédain mutuel.

Adam s'est laissé retomber sur sa chaise, la tête toujours baissée. J'ai posé une main sur son épaule. Il tremblait et essayait de le dissimuler.

Bon débarras, ai-je songé en regardant les autres débarrasser le plancher.

Jusqu'à ce que je me rende compte qu'ils m'avaient laissé la note !

Connards !

37. Dante

– Tu aurais dû me laisser le cogner !

Sur le trajet du retour, je fulminais encore. Payer l'addition m'avait achevé. Papa m'avait donné de quoi payer un repas pour deux. Pour le surplus, j'avais dû sévèrement taper dans mes économies. Mon compte en banque était maintenant à sec et je n'avais aucune idée de comment j'allais le renflouer. Mais ce n'était rien comparé à la rage qui me submergeait quand je repensais à ce que Josh avait balancé à mon frère. Ses mots résonnaient dans ma tête. Adam n'avait pratiquement pas ouvert la bouche depuis l'altercation. En fait, il n'avait pas du tout ouvert la bouche. Mais à vrai dire, je n'étais pas d'humeur très bavarde non plus. Il était temps, plus que temps que je rentre à la maison. J'en avais besoin. Nous y étions presque. Dans deux minutes, nous serions dans notre salon. Je mourais d'envie de serrer ma fille dans mes bras et d'essayer de donner un peu de sens à ce monde. Dans cet ordre-là. Tout ce que je voulais, c'était…

Le temps s'est arrêté.

Noir. Puis des flashs de lumière dans ma tête.

J'étais étendu sur le trottoir, le crâne douloureux, un vacarme de cloches dans les oreilles. J'ai essayé de me redresser mais j'ai reçu un nouveau coup. J'ai eu l'impression que ma tête éclatait. Il m'a fallu un moment pour comprendre pourquoi je ne pouvais pas bouger. Quelqu'un était agenouillé sur mes jambes et mes bras étaient fermement maintenus.

J'ai levé la tête. Josh se tenait devant mon frère. Il l'a poussé jusqu'à ce que le dos d'Adam heurte le mur de la maison au bout de notre rue. Et Josh continuait de frapper mon frère pour le déséquilibrer.

– Arrête, Josh ! Laisse-le ! ai-je hurlé.

Il s'est tourné vers moi en riant pendant que Logan et Paul s'appuyaient un peu plus lourdement sur moi. Les os de mes bras et mes jambes semblaient sur le point de craquer. Ils allaient me péter les membres. Si seulement je réussissais à dégager un bras... une main, il ne m'en fallait pas plus. Ma souffrance physique n'était rien en comparaison de celle qui me dévorait le cœur en voyant Josh s'en prendre à mon frère.

À chaque fois qu'Adam se redressait, Josh le repoussait contre le mur. Mais mon frère continuait d'essayer. Et il ne quittait pas Josh des yeux.

– Sale petite lopette ! Pédale ! Tu me files envie de gerber !

Chaque mot me faisait plus mal qu'un coup de poing. Mais Adam restait silencieux.

– Tapette ! Suceur de bites ! Tarlouze ! Fiotte !

Josh crachait toutes les insultes qu'il connaissait et chacune était ponctuée d'un nouveau coup. Chacune explosait dans ma tête comme une bombe. Je me suis débattu de nouveau mais Paul et Logan n'ont pas relâché leur étreinte.

– Josh ! Laisse-le ! Connard !

Et là, le monde s'est brusquement arrêté. Adam a repoussé la main de Josh, s'est avancé vers lui et l'a embrassé.

Sur la bouche.

Paul et Logan en ont oublié de me tenir, j'en ai oublié de me démener. Josh en a oublié de se reculer. Mais pour un instant. Pour un instant seulement.

Et ça a été l'éruption.

Josh a perdu la tête.

C'était la seule façon de le décrire. Il a hurlé avant de se jeter sur mon frère. Ses mains sont devenues des poings et il s'est mis à frapper Adam au visage. À le frapper encore et encore.

Adam a levé les bras pour se protéger le visage mais ça ne servait à rien. Josh cognait sur mon frère comme un fou. Adam s'est écroulé par terre, recroquevillé, les bras au-dessus de la tête. Et les coups de pied et de poing de Josh pleuvaient sans interruption sur lui. Je luttais de toutes mes forces pour me dégager et aller aider mon frère, mais les deux autres me clouaient au sol. Logan enfonçait son genou dans mon dos, Paul s'est déplacé pour s'agenouiller sur mes jambes. Ils allaient me casser la colonne vertébrale ou les fémurs ou les deux. De temps en temps, ils me frappaient. Josh était dressé de toute sa hauteur maintenant et balançait son pied dans la tête de mon frère sans discontinuer.

– Tu t'es toujours cru meilleur que nous, a sifflé Logan à mon oreille. Je vais aller à l'université, je vais devenir journaliste et écrire la vérité. Regarde-toi. La vérité, c'est que t'es qu'un pauvre raté avec un môme sur les bras, pas de boulot et un frère pédé !

Je me suis cabré, j'ai poussé, agité les jambes en vain. Tout ce que je pouvais faire, c'était tourner la tête. Tout ce que je pouvais voir, c'était mon frère.

– LAISSE-LE, JOSH ! CONNARD ! SALAUD ! LAISSE-LE ! ARRÊTE ! BORDEL ! TU VAS LE TUER !

Les mots ne servaient à rien. Josh continuait. Ses poings étaient en sang.

Et Adam ne bougeait plus.

Paul s'est soudain redressé.

– Arrête, Josh, arrête ! Il a eu son compte.

Il a essayé de tirer Josh en arrière mais il n'était pas assez fort.

– Logan ! Bon Dieu ! Viens m'aider !

Logan s'est levé mais n'a pas bougé. J'ai bondi, les poings serrés, et je l'ai frappé à la tempe. Il est tombé en grognant de douleur. J'ai continué de le frapper au sol et puis, pour ne pas prendre le risque qu'il se relève, je lui ai donné un ou deux coups de pied. Je me suis jeté sur Josh. Mon bras autour de son cou, je l'ai tiré de toutes mes forces. Seuls ses talons touchaient le sol. Je l'ai lâché et je me suis précipité vers mon frère. Je me suis agenouillé près de lui. Il gisait, immobile, couché sur le côté. Je ne distinguais plus les traits de son visage. Il était couvert de sang.

– Adam… ai-je murmuré.

J'ai approché mon oreille de sa bouche et de son nez. C'était sa respiration que je sentais ou la brise nocturne ?

– Josh ! Faut qu'on se tire ! Maintenant ! a crié Paul en essayant de l'entraîner.

– Qu'est-ce qui se passe ici ?

Un homme trapu uniquement vêtu d'un pantalon est sorti de la maison la plus proche.

– Zoé ! Appelle la police ! a-t-il crié par-dessus son épaule.

Je me suis levé pour regarder Josh dans les yeux.

– Va-t'en, tout de suite ou j'aurai ta mort sur la conscience. Je te le jure !

J'avais parlé à voix basse mais je pensais chacun des mots prononcés. Les poings serrés, j'ai attendu. S'il voulait encore s'approcher de mon frère, il devrait passer sur mon cadavre.

– Josh ! Putain ! Cassons-nous ! a gémi Paul.

Et puis ils sont partis, Paul et Logan tirant Josh par le bras.

Je suis tombé à genoux.

Le visage d'Adam n'était que sang, os, et chairs déchirées.

Je ne savais pas quoi faire.

Le tourner. Le laisser ? Quoi ?

– Adam…

J'ai passé ma main dans ses cheveux.

– Adam, ne meurs pas, je t'en supplie, ne meurs pas.

38. Dante

Le temps ne passe pas au même rythme qu'ailleurs dans un hôpital. Les secondes s'écoulaient avec une lenteur moqueuse. J'étais assis dans la salle d'attente plus qu'à moitié pleine. Seul. Si seul.

Deux femmes ont franchi la porte automatique. L'une avait ramené ses cheveux frisés en queue-de-cheval, l'autre avait les cheveux courts et une raie asymétrique. Elles se sont dirigées vers l'accueil. Je les ai machinalement regardées discuter avec le réceptionniste jusqu'à ce que ce dernier pointe le doigt vers moi. Des officiers de police. J'aurais dû m'y attendre mais malgré tout, les battements de mon cœur se sont accélérés. Les deux femmes portaient des costumes, celui de la première était bleu marine, celui de la seconde gris. Je me suis levé à leur approche, estimant qu'il valait mieux les regarder dans les yeux que d'avoir à lever la tête vers elle.

– C'est vous qui êtes venu avec la victime de l'agression ? m'a demandé la femme en bleu marine.

J'ai acquiescé.

– Sergent Ramona Crystal. Ma collègue est le détective Samantha Kay. Pourriez-vous nous donner votre nom ?

– Dante. Dante Bridgeman.

– Que pouvez-vous nous dire, Dante ?

Silence.

Je ne savais pas par où commencer. Le sergent a sorti un carnet et un stylo.

– Connaissez-vous le nom de la victime ?

– C'est mon frère, Adam Bridgeman. Il a seize ans.

Le sergent a haussé un sourcil.

– Que s'est-il passé ?

– On... on a été attaqués.

– Combien étaient-ils ?

– Trois.

– Asseyons-nous, a proposé le sergent.

Elle a pris place sur la chaise à la gauche de celle que je venais de quitter. La détective a attendu que je sois assis pour s'installer à ma droite.

– Je vois que vous êtes encore en état de choc, a-t-elle dit. Mais tout ce que vous pourrez nous dire nous aidera à arrêter ceux qui ont fait ça. Prenez votre temps et racontez-nous exactement ce qui s'est passé.

– Adam et moi sommes sortis... pour fêter... mon anniversaire...

Mon Dieu... c'était toujours mon anniversaire... le mot avait un goût amer. Le sergent et la détective ont échangé un regard.

– Continuez, m'a encouragé le sergent.

– Nous rentrions à la maison. Nous venions d'arriver dans notre rue quand ils nous ont sauté dessus.

– Connaissiez-vous vos agresseurs ?

Pause.

– Dante ? a lancé le sergent, le stylo en suspens.

Pourquoi hésitais-je ? Je n'avais aucune raison de me montrer loyal envers un connard comme Josh. Pourquoi est-ce que je me posais même la question ?

– Josh Davies, Logan Pane et Paul Anders, ai-je débité avant d'avoir le temps de changer d'avis. Logan et Paul m'ont maintenu au sol pendant que Josh cognait mon frère. Il n'a pas arrêté de le frapper et de lui donner des coups de poing dans la tête. Il n'arrêtait pas.

Je me suis mis à tousser. Une nausée me soulevait l'estomac. J'étais sur le point de vomir. J'ai renversé la tête en arrière et ai respiré à petits coups pour essayer de me contrôler. Les officiers m'ont accordé un moment. Je leur en ai été reconnaissant. Petit à petit, le malaise est passé et j'ai de nouveau baissé la tête.

– Où êtes-vous allés pour fêter votre anniversaire ? est intervenue la détective Kay.

– Au Bar Belle.

Les deux femmes ont échangé un regard entendu.

– Adam et moi n'avions pas bu d'alcool, si c'est ce que vous pensez. Adam a pris deux coladas sans rhum et moi, je suis resté au Schweppes toute la soirée. Josh, Logan et Paul, eux ont bu. Ils n'ont pas arrêté de boire.

– Vous étiez avec eux au Bar Belle ? a aussitôt relevé le sergent.

– Adam et moi les avons rencontrés là-bas mais ce n'était pas prévu. On a partagé une table et il y a eu une dispute. Ils sont partis avant nous.

Les policiers m'ont interrogé durant vingt minutes, notant chacun de mes mots. Quand elles sont enfin parties, j'étais épuisé. Je réalisais ce qui s'était passé mais je n'arrivais pas à comprendre pourquoi. Je pensais que tout avait été dit au Bar Belle. Josh et moi étions amis – même après cette engueulade au restaurant. J'avais le sentiment que le lendemain matin, quand j'aurais été plus calme et lui moins soûl, on se serait appelés. Il aurait reconnu la bêtise de ses propos et se serait excusé. J'aurais accepté ses excuses et on n'en aurait plus jamais parlé.

Alors qu'est-ce que je faisais dans la salle d'attente d'un hôpital, à me demander si Adam allait vivre ou mourir ?

Dans l'ambulance, je n'arrivais pas à m'arrêter de frissonner pendant que les infirmiers surveillaient les signes vitaux de mon frère. Avant de le transporter, ils avaient dégagé ses voies respiratoires et l'avaient stabilisé. Lui avaient mis une perfusion dans un bras, un masque à oxygène sur sa bouche et son nez un peu nettoyés. Le visage d'Adam était gonflé et déformé. Plus rien n'était à sa place. L'ambulance avait traversé la ville, gyrophare allumé, sirène hurlante. J'avais regardé mon frère allongé, inconscient. Incapable de détourner les yeux. Je n'osais pas. J'avais l'impression que si je cessais une seconde de le fixer, je le perdrais pour de bon.

À l'hôpital, Adam a aussitôt été dirigé vers la radiographie et la salle d'opération. J'avais téléphoné à Papa, sans très bien savoir ce que j'allais lui dire. Il a répondu après deux sonneries.

– Coucou Dante. J'espère que vous êtes en train de rentrer, les garçons. Il commence à se faire tard. Vous vous êtes bien amusés ?

Le ton joyeux de Papa était si… incongru…

– Et ne t'inquiète pas pour Emma, a-t-il repris. Elle dort profondément.

– Papa… je suis à l'hôpital.

– Quoi ? Pourquoi ? Que s'est-il passé ?

Le changement dans sa voix a été immédiat.

– Adam… Adam a été battu. Papa… il est… gravement blessé…

Un médecin chauve et bâti comme un camionneur est apparu de nulle part. Je suis grand mais je devais lever les yeux pour le regarder.

– Dante, je dois t'examiner. Et tu ne devrais pas utiliser ton portable ici.

– Je… parle à mon père.

– Tu lui parleras quand je me serais assuré que tu vas bien, a insisté le médecin.

Peut-être que Papa a entendu le médecin. Peut-être que le son de ma voix lui avait suffi. En tout cas, il n'a plus posé de questions.

– J'arrive !

Et il a raccroché.

– Je n'ai pas besoin qu'on m'examine, ai-je protesté en remettant mon téléphone dans ma poche. Je veux rester avec mon frère.

– Il est entre de bonnes mains, a tenté de me rassurer le médecin. Laisse-nous faire notre métier. Mais en attendant, je dois t'ausculter.

Je souffrais de coupures et d'égratignures sans gravité mais d'hématomes sévères sur le dos et les cuisses. Ça ne me faisait pas mal. Pas trop. Je n'avais pas l'esprit à avoir mal. Il fallait que je me concentre sur mon frère. Papa est arrivé trente ou quarante minutes après mon coup de fil, Emma endormie dans les bras. Dès que je l'ai vue, je me suis précipité pour la prendre.

– Non, a refusé Papa. Ça va. Ça risque de la réveiller.

Nous nous sommes donc assis dans un silence qui me paraissait intense après l'ouragan que je venais de traverser. J'avais plus prié ces deux dernières heures que durant toute ma vie. Adam ne pouvait pas mourir. C'était impossible. Je ne pouvais pas imaginer la vie sans lui.

Je ne voulais pas.

Après l'arrivée de Papa, nous avions été dirigés vers une autre salle d'attente. C'était en fait un espace ouvert dans le couloir où se trouvaient cinq chaises grises et un distributeur de confiseries. Un homme brun, la petite trentaine, était là mais au bout d'un moment, il est parti sans qu'une infirmière ou un médecin soit venu le voir. Papa et moi sommes restés silencieux. Emma dormait dans les bras de mon père.

– Que s'est-il passé ? a-t-il fini par demander.

J'étais tellement perdu dans mes pensées que le son de sa voix m'a fait sursauter.

– On a été attaqués.

– Par qui ?

– Des gars de mon ancien lycée.

– Tu les connais ? Regarde-moi, Dante !

– Oui, je les connais, lui ai-je répondu en plongeant mes yeux dans les siens.

– Raconte-moi tout ce qui s'est passé.

Je lui ai raconté.

Tout.

– C'est le Josh qui venait à la maison ? Qui était ton ami ?

J'ai acquiescé.

Papa a fermé les yeux et a laissé sa tête aller contre le mur.

– C'est ce que j'avais toujours craint, a-t-il murmuré.

Que pouvais-je dire ? Rien.

Nous sommes restés silencieux un long moment.

– Tu as dit tout ça à la police ? m'a finalement demandé mon père.

J'ai acquiescé de nouveau.

– Vraiment tout ?

– Oui, Papa.

– Dante !

Tante Jackie venait d'apparaître dans le couloir. Elle a couru vers nous. Je me suis levé. Elle m'a serré dans ses bras, ce qui m'a fait grimacer de douleur.

– Tyler.

– Jackie.

Mon père et ma tante se sont salués. Sans plus. Je suppose que nous étions tous beaucoup trop inquiets pour tenir une conversation. Tante Jackie s'est assise à côté de moi.

– Comment va Adam ?

– On ne sait pas encore, a répondu Papa. Ils sont en train de l'opérer.

– Que s'est-il passé ? a voulu savoir ma tante.

Papa a serré les mâchoires.

– Il a été battu.

– Quoi ? Pourquoi ? Par qui ?

J'ai regardé le sol puis le plafond. Partout sauf vers mon père et ma tante.

– Parce qu'il est gay ! a lâché Papa d'une voix amère. Je pensais que cette mode de frapper les homosexuels était passée. On est au vingt et unième siècle, nom de Dieu !

– Oh, mon Dieu…

– Dieu n'a rien à voir là-dedans, a craché mon père. C'est la faute de ces salopards homophobes même pas capables de se battre à la loyale !

– Vous savez qui c'était ?

– Des gars de ma classe, ai-je répondu.

– Pourquoi les as-tu laissés se servir de ton frère comme punching-ball ? a grincé Papa.

Je me suis tourné vers lui.

– Je te l'ai dit. Ils me maintenaient au sol. J'ai essayé de les arrêter mais je ne pouvais pas bouger.

– Tu étais censé faire attention à ton frère ! Le protéger ! Qu'est-ce qu'il croyait ? Que je ne le savais pas ?

– J'ai essayé, Papa. Ils nous sont tombés dessus.

– Tu aurais dû le protéger, a répété mon père.

– Tyler ! est intervenue ma tante. Ça ne sert à rien.

– Reste en dehors de ça, Jackie. C'est mon fils qui est sur la table d'opération. Mon fils qui se bat contre la mort !

– Et c'est ton fils qui est assis près de toi et qui a besoin que son père le soutienne !

Je me suis levé.

– Excusez-moi.

– Où tu vas ? a grogné Papa.

Il fallait que je parte.

– Me laver les mains.

Je me suis dirigé vers les toilettes avant que mon père ou tante Jackie n'ait le temps de prononcer un mot. Papa pouvait me faire tous les reproches du monde, ce n'était rien en comparaison de ceux que je me faisais à moi-même. Malgré tout ses mots m'avaient fait mal. Très mal.

Dans les toilettes, je me suis aspergé le visage et lavé les mains. Les jointures de ma main droite étaient égratignées. Le coup de poing que j'avais donné à Logan. Je me suis redressé. Le miroir m'a renvoyé mon image. Mes yeux étaient embués de larmes non versées. Mes dents étaient si serrées qu'un muscle se tendait sans cesse dans ma mâchoire. Je ne supportais plus de me regarder mais je n'ai pas détourné les yeux.

Tout était ma faute.

Plus d'une fois, Adam m'avait demandé pourquoi je laissais Josh dire ses conneries. Aujourd'hui, je me posais la même question. Pourquoi n'avais-je pas frappé Josh la première fois qu'il avait lâché un de ses commentaires imbéciles ? Josh avait de la haine à revendre. Tout le monde y passait : gens du voyage, musulmans, juifs, gays et Dieu seul savait ce qu'il disait de moi et des autres Noirs dans mon dos. Mais c'étaient les gays qui cristallisaient le plus son hostilité. Si je portais un vêtement autre qu'un jean et un T-shirt, c'était gay. La musique

que j'écoutais était extra-gay. Les livres que je lisais étaient super-gays. Et pas une fois, je ne l'ai remis à sa place. Pas une fois.

« Ce n'est qu'un mot. Ça ne veut rien dire », avais-je tenté de me convaincre.

Je me fichais de la douleur que pouvait provoquer ce mot. Je me fichais que cette douleur pouvait durer plus longtemps que celle occasionnée par un coup. Je n'étais pas gay, alors, il n'y avait pas de mal. C'était comme quand Josh me traitait d'attardé mental quand je faisais un truc un peu bête. Le mot était déplacé mais je ne l'ai jamais repris là-dessus non plus.

Ça ne veut rien dire…

Ouais, bien sûr.

Adam avait traité Josh de lâche mais Josh n'était pas le seul à l'être. J'ai tourné le dos au miroir, incapable de me regarder plus longtemps. Je suis ressorti dans le couloir et je me suis dirigé vers l'endroit où nous attendions et espérions.

— Je te dis juste que tu as toujours été trop sévère avec lui, Tyler. Tu lui reproches des choses qui ne sont pas sa faute, disait tante Jackie.

— Tu ne sais pas de quoi tu parles, l'a rembarrée mon père.

Je suis resté à l'angle. Là où ils ne me voyaient pas. Ils parlaient de moi. J'ai tendu l'oreille.

— Ah oui, tu crois ? Tu penses qu'on ne parlait pas entre sœurs ? Tu imagines qu'elle ne s'est jamais confiée à moi ? a rétorqué ma tante. Tu crois qu'elle ne sentait pas à quel point tu leur en voulais à Dante et à elle pour ce qui était arrivé ?

— Qu'est-ce que tu racontes ? Je ne lui reprochais rien ! Je l'ai épousée, non ?

— Oui, mais au début, tu ne voulais pas. Et tu le lui as bien fait comprendre.

– C'est injuste ! J'étais jeune et j'avais peur. Mais j'ai fait ce que je devais faire !

– De très bonne grâce ! a amèrement ironisé tante Jackie.

– Fiche-moi la paix, Jackie ! Je n'avais que vingt ans ! Ça n'était pas la meilleure façon de commencer sa vie.

– La seule raison pour laquelle tu as passé la bague au doigt de ma sœur, c'est qu'elle était enceinte de Dante. Et Jenny savait que tu lui en voulais pour ça. À elle et à son fils ! Elle savait que tu ne l'aimais pas…

– Je t'interdis de dire ça ! a nié Papa. Quand elle est morte, j'ai voulu mourir aussi. Je ne me levais le matin que pour Dante et Adam.

– Tyler, tout ce que voulait ma sœur, c'était que tu l'aimes !

– Qu'est-ce que tu racontes ? a crié Papa. Elle était toute ma vie !

– Pourquoi ne le lui as-tu jamais dit ? Pas une fois, pas une, tu ne lui as dit que tu l'aimais !

– Je… je l'aimais, a bredouillé Papa d'une voix si basse que j'avais peine à l'entendre. Jenny savait que je l'aimais. Je n'ai jamais été fort avec ces mots-là. Mais Jenny savait combien elle comptait pour moi.

– Comme tes enfants ? a demandé tante Jackie. Tu crois que tu montres ton amour à Dante à chaque fois que tu le rabaisses ou le rejettes ? Que tu montres à Adam que tu l'aimes en faisant comme si tu ne savais rien de son homosexualité ? Tu crois vraiment que tes enfants savent que tu les aimes ?

– Bien sûr que je sais qu'Adam est gay. Je l'ai accepté, a répondu Papa avec colère. Ne fais pas de moi le méchant, Jackie. Juste parce que je ne suis pas d'accord avec cette mode qui consiste à étaler ses sentiments à tout bout de champ !

– Personne ne te demande de le faire à tout bout de champ, a riposté ma tante, juste une fois de temps en temps !

– Alors dis-moi ce que j'aurais dû dire à Dante, Jackie. Vas-y, dis-le-moi !

Un long silence a suivi. Puis ma tante a poussé un profond soupir.

– Je ne suis pas venue pour me disputer avec toi, Tyler. Ce n'est ni le moment ni l'endroit.

– Content que tu t'en rendes compte. Et ravi de voir que ton opinion sur moi n'a pas changé d'un pouce depuis que j'ai épousé ta sœur.

– C'est faux, a nié tante Jackie. J'ai toujours voulu votre bien à toi, à ma sœur et à mes neveux.

– Et tu ne crois pas que c'est ce que je veux moi aussi ?

– Alors pourquoi n'as-tu jamais dit la vérité à Dante à propos de…

J'ai passé le coin. Tante Jackie s'est tue brusquement. Mon père et elle m'ont regardé, choqués. Ils savaient que j'avais entendu chacun de leurs mots. Le silence entre eux est entré dans ma chair comme la lame d'un couteau.

Mais connaître la vérité me blessait plus encore.

– Tu… tu n'as épousé Maman que parce qu'elle était enceinte… de moi…

Une éternité s'était écoulée avant que je puisse prononcer cette phrase.

Voilà qui expliquait tant de choses.

– Toutes ces années, je me suis demandé pourquoi tu ne me regardais pas comme tu regardais Adam. Pourquoi tu me traitais différemment.

La réponse était simple. Adam avait été désiré. Moi non.

Et soudain, tout prenait sens. Comme la réaction de mon père quand je lui avais annoncé le résultat de mes examens. « Si j'avais eu ta chance, je serais millionnaire aujourd'hui. »

– C'est pour ça que ce que je faisais n'était jamais assez bien pour toi. Tu m'en voulais d'avoir gâché ta vie, de t'avoir empêché de réaliser tes rêves.

Papa a passé Emma à tante Jackie avant de venir vers moi.

– Écoute-moi, Dante. Tu te trompes ! Ta mère et moi ne nous serions probablement pas mariés si elle n'avait pas été enceinte mais je t'ai toujours beaucoup aimé. Et j'aimais ta mère aussi.

– Mais Adam a été conçu dans l'amour. Pas moi.

Mes pensées tourbillonnaient comme des feuilles mortes dans un ouragan.

… Aurait dû être conçue dans l'amour…

– Tu ne m'écoutes pas, Dante. Si je t'ai fait douter de mon amour un jour, je suis désolé. Parce que je t'ai toujours aimé. Et si parfois je suis trop sévère avec toi, c'est seulement parce que je ne veux pas que tu commettes les mêmes erreurs que moi…

– Et moi, j'ai été ta plus grosse erreur…

J'ai voulu faire demi-tour mais Papa m'a retenu. Il a posé ses mains sur mes épaules.

– Non, mon fils. C'est faux. Parfois, les choses que nous sommes convaincus de ne pas vouloir sont en fait celles dont nous avions le plus besoin. Tu as Emma maintenant et tu sais exactement ce que je veux dire. Toi, Adam et ta mère sont les seules choses qui ont jamais compté dans ma vie. Oui, j'avais des projets avant que ta mère tombe enceinte. Passer mon diplôme, travailler dans le cinéma, peut-être devenir monteur. Ça n'est jamais arrivé. Mais si je pouvais recommencer ma vie, je ne changerais rien. Rien. Tu comprends ?

J'ai scruté le visage de mon père à la recherche de… je ne sais pas quoi.

– Tu me crois, Dante ? C'est important que tu me croies, a insisté Papa.

– Monsieur Bridgeman ?

Le chirurgien était à nos côtés, m'épargnant l'obligation de répondre.

– Comment va Adam ? Il va bien ? a presque crié Papa.

Je n'arrivais plus à respirer. Mon cœur était remonté dans ma gorge et je ne pouvais plus respirer.

S'il vous plaît…

– Adam souffre de nombreuses blessures. Son nez et sa mâchoire ont été cassés. Son orbite droite a été sérieusement endommagée mais nous avons réussi à sauver son œil. Il a également deux côtes cassées et d'importantes contusions partout sur le corps. Mais il est hors de danger et stable.

– On peut le voir ? a demandé Papa d'une voix grave.

– Pas trop longtemps et je dois vous prévenir que son visage est très abîmé. Il faudra du temps et il gardera probablement une ou deux cicatrices. Nous avons dû mettre une broche dans sa mâchoire et réaligner l'arête nasale. Nous avons mis en place une plaque métallique pour maintenir sa pommette gauche. Préparez-vous à ce que vous allez voir.

Je me suis tourné vers tante Jackie et j'ai tendu les mains pour récupérer ma fille. Ma tante a ouvert la bouche comme pour refuser mais s'est ravisée. Elle m'a donné Emma. Je l'ai placée de façon à ce que sa tête repose sur mon épaule. Elle a à peine bougé, toujours profondément endormie. Elle sentait bon. Le parfum de l'espoir. Elle était le seul élément qui me raccrochait à la réalité. Nous avons suivi le chirurgien.

Il était minuit passé et j'étais épuisé mais j'ai continué. Un pied devant l'autre.

– Oh mon Dieu... a lâché Papa à mi-voix.

Le cri étouffé poussé par tante Jackie disait tout. Et était loin de révéler l'horreur du spectacle qu'offrait mon frère. Le chirurgien avait essayé de nous préparer mais c'était bien pire que tout ce à quoi nous pouvions nous attendre. Je ne pouvais quitter Adam des yeux. Il était méconnaissable. Un bandage enveloppait sa mâchoire, passant sous son menton et sur son crâne. Son visage était plus gonflé et plus déformé encore que tout à l'heure. On aurait dit qu'il était passé dans un hachoir. Le masque à oxygène transparent ne dissimulait rien de ses blessures. Un liquide incolore était diffusé goutte à goutte par une perfusion dans un de ses bras. L'autre était relié à une poche de sang.

– Notre inquiétude prioritaire est sa respiration, nous a informé le chirurgien. Adam souffre de plusieurs fractures des côtes avec déplacement. Nous devons le surveiller attentivement. Et bien que nous ayons sauvé son œil droit, sa vision a sans doute subi des dommages irréparables. Il n'est pas encore sorti d'affaire.

À côté de moi, tante Jackie s'est mise à pleurer. Des larmes silencieuses qu'elle a essayé de retenir sans y parvenir. Papa a passé un bras autour de son épaule, lui proposant ainsi un réconfort dérisoire. Il ne cessait d'émettre un bruit de gorge comme s'il avait quelque chose coincé dans la trachée.

– Adam est jeune et fort. Avec du temps et de la patience, il se rétablira parfaitement, a repris le chirurgien, essayant de nous rassurer.

Adam...

Mon frère Adam. Si beau...

Et quelque part, dehors, Josh se marrait bien en repensant à ce qu'il avait fait.

Mais ça ne durerait pas. Quand je mettrais la main sur lui, je lui ferais ravaler son rire.

39. Dante

Deux jours plus tard, quand Papa, Emma et moi sommes arrivés en post-opératoire pour voir mon frère, son lit était vide. Mon père a couru jusqu'au bureau des infirmières pendant que je le suivais en poussant Emma.

– Où est mon fils ? Adam Bridgeman ? a demandé Papa.

Un infirmier noir, d'une trentaine d'années, et une infirmière aux cheveux roux et au front ridé ont levé les yeux vers lui.

– Oh, monsieur Bridgeman, je suis désolée. Je voulais vous prévenir avant que vous n'arriviez à sa chambre, a dit la femme rousse en agitant sa queue-de-cheval. Voulez-vous me suivre, s'il vous plaît ?

– Où est mon fils ? a répété mon père dans un murmure.

Adam...

Je suis soudain devenu glacé. Mon sang a instantanément gelé dans mes veines.

Ne pense pas...

Ne suppose pas le pire...

L'infirmière nous a menés dans une petite salle d'attente avant de doucement refermer la porte derrière nous.

– Monsieur Bridgeman, nous avons dû renvoyer Adam en chirurgie. Un scan crânien a révélé une fracture de la tempe et un hématome sous-dural. Son hématome doit être drainé.

Papa s'est laissé tomber sur une chaise.

– Mon Dieu...

– Nous ne sommes pas sûrs que cette fracture temporale soit liée à l'agression qu'a subie votre fils, a repris l'infirmière. Adam s'est-il plaint de maux de tête ces derniers temps ?

– Oui, a répondu Papa. Et ils étaient si douloureux que je l'ai emmené chez le médecin il y a quelques semaines. Nous attendions un rendez-vous pour un scan.

L'infirmière a hoché la tête.

– Ah. Avait-il reçu un coup sur la tête avant ces douleurs ?

Papa m'a regardé.

– Tu m'as dit qu'il avait reçu un ballon de foot dans la tête pendant un match au lycée, mais je ne vois pas comment un ballon pourrait...

– Ce n'était pas un match de foot, Papa ! me suis-je écrié, horrifié. C'était un match de cricket !

– Quoi ? Mais Adam a dit qu'il avait fait une tête alors qu'il aurait dû se baisser... Bon sang... j'ai cru qu'il parlait de foot. Si j'avais su qu'il s'agissait d'une balle de cricket, je l'aurais immédiatement emmené à l'hôpital.

– Je suis désolé, ai-je marmonné. J'ai cru que tu savais.

Mais la vérité est que je n'avais plus pensé à cette histoire.

– Voilà qui explique beaucoup de choses, a commenté l'infirmière. Heureusement pour votre fils, il était au bon endroit au bon moment. Son hématome a été pris juste à temps.

– Pourquoi ? me suis-je exclamé, alarmé. Que s'est-il passé ? Il a perdu connaissance ?

L'infirmière m'a souri.

– L'important est que nous ayons été présents et que nous ayons pu le renvoyer immédiatement en chirurgie. C'est tout ce qui compte.

– Est-ce qu'il va... s'en sortir ? n'ai-je pu m'empêcher de demander.

– Ne dis pas ça ! Bien sûr qu'il va s'en sortir ! a affirmé Papa avec véhémence.

– Le drainage d'un hématome sous-dural est une intervention très simple, a répondu l'infirmière. Ne vous inquiétez pas, Adam est entre de très bonnes mains. Vous pouvez attendre ici, si vous le désirez. Dès que j'ai des nouvelles, je viendrai vous en informer.

– Merci, a dit Papa.

Je me suis assis à côté de lui et j'ai bercé Emma en avançant et reculant sa poussette. Au bout de dix minutes, elle a commencé à s'agiter et à vouloir descendre. J'ai détaché sa ceinture et l'ai prise sur mes genoux. Mais elle a continué à se trémousser.

– Tu veux bien la tenir une minute, s'il te plaît, Papa ?

J'ai passé Emma à mon père de façon à pouvoir glisser ma main dans le sac pendu aux poignées de la poussette.

– Tu veux ça, Emma ?

Je lui ai montré son nounours.

– Ou ton livre ?

Je lui ai tendu son livre en carton préféré dont elle avait mâchouillé les quatre coins.

Emma a attrapé son nounours. J'ai rangé le livre et repris Emma sur mes genoux. Pendant un moment, le seul son de la salle d'attente a été celui d'Emma en train de babiller à son nounours. Machinalement, je lui caressais les cheveux.

– Tu crois que toute cette histoire va revenir aux oreilles de Véronica et des services sociaux ? ai-je fini par demander à mon père.

Cette question m'avait rongé durant les deux derniers jours. Papa a froncé les sourcils.

– Tu veux dire le fait qu'Adam ait été battu ?

– Non, le fait que j'ai été impliqué dans une bagarre.

– Je ne vois pas comment ni pourquoi. Et même si c'était le cas, je ne vois pas le problème. Ton frère et toi avez subi une agression. Ce n'est pas vous qui avez provoqué cette bagarre.

– Tu crois qu'elle le verra de cette façon ?

– Arrête de t'inquiéter à propos de Véronica, Dante, a grondé Papa en me regardant dans les yeux. Personne ne t'enlèvera Emma, je te le promets.

– D'accord.

Nous avons contemplé Emma pendant un moment. Je l'ai approchée de moi pour l'embrasser et j'ai appuyé mon front contre le sien.

– Dante, je veux que tu saches quelque chose.

Quand je me suis tourné vers mon père, j'ai compris d'instinct qu'il m'avait observé.

– Je veux que tu saches combien je suis fier de toi.

Hein ? Je l'ai regardé les yeux ronds comme des phares de voiture.

– Je ne crois pas te l'avoir déjà dit, mais c'est le cas. Je suis fier de tout le travail que tu as fourni pour tes examens. Fier des notes que tu as obtenues. Je suis fier aussi que tu sois devenu un vrai père pour Emma.

Je ne savais pas trop quoi lui répondre. C'était la première fois qu'il me parlait comme ça.

– Merci Papa.

– Et je veux que tu saches autre chose.

– Oui.

– Je t'aime. Très fort.

Papa regardait droit devant lui mais je ne doutais pas une seconde de la sincérité de ces mots. Il ne me l'avait jamais dit avant mais je ne le lui avais jamais dit non plus. Je suppose

que Papa et moi nous ressemblions beaucoup. J'ai avalé
la boule qui m'obstruait la gorge.

– Je… moi aussi, je t'aime, Papa.

40. Dante

– Où est-ce qu'il est, Paul ?

– Je ne sais pas. Je te le jure. Laisse-moi !

Paul se débattait mais je n'avais pas l'intention de le lâcher. Pas avant d'avoir obtenu les réponses que j'étais venu chercher.

Il s'était passé un mois depuis la dernière opération d'Adam et j'en avais assez d'attendre que la justice fasse son travail. Adam avait passé huit jours à l'hôpital et même s'il était maintenant rentré à la maison, il était encore obligé de manger à la paille – du moins quand on arrivait à le persuader de s'alimenter. Sa mâchoire devait rester brochée encore quinze jours et il souffrait continuellement. Mon frère ne quittait sa chambre que pour aller aux toilettes et il avait fallu que Papa enlève le miroir de la salle de bains. Il avait abandonné ses tentatives pour parler et utilisait un calepin pour communiquer.

Et son visage…

Son visage était entièrement couturé du côté droit. Du même côté, sa paupière pendait considérablement à cause de la paralysie faciale provoquée par sa fracture temporale. Les docteurs affirmaient qu'avec un peu de temps et d'efforts de la part d'Adam, ça s'améliorerait. Mais Adam avait perdu toute volonté. Il ne vibrait plus. Il en était bien loin. Il ne souriait plus non plus. Il n'essayait même pas.

Et ceux qui lui avaient fait ça étaient quelque part à rire et à échanger des plaisanteries sur leur joli travail.

Eh bien, si la police ne faisait pas son boulot, je le ferais pour eux. En commençant par cette petite fouine de Paul. Il avait été le plus facile à retrouver. Il ne m'avait pas fallu plus de trois coups de fil pour savoir où il travaillait. Papa avait un peu levé le pied au bureau depuis qu'Adam était sorti de l'hôpital. Ça n'avait pas été difficile de lui demander de garder Emma en prétendant que j'avais besoin de m'aérer pour m'éclaircir les idées. J'ai attendu Paul devant chez le vendeur de voitures. Pas trop près pour ne pas me faire repérer mais pas trop loin pour être sûr de ne pas le rater. Ensuite, je l'ai suivi jusqu'à ce qu'il arrive à un endroit suffisamment isolé pour notre petite « discussion ». Marrant, c'était dans le parc.

Il n'a pas su ce qui lui tombait dessus.

Et maintenant il était par terre, rampant pour essayer de m'échapper. Mais je le tenais bien.

– Je ne rigole pas, Paul. Où est Josh ?

– Chez lui... je... je crois.

– J'y suis allé. Sa mère m'a dit qu'il était chez toi. Alors c'est la dernière fois que je pose la question : où est Josh ?

Il m'a regardé comme un lapin pris dans les phares d'une voiture.

– Il... il...

J'ai frappé le sol du plat de la main juste à côté de sa tête. Ça m'a fait mal mais s'il croyait pouvoir me raconter des bobards, il se trompait lourdement.

– La prochaine fois, ce sera ta tête que je cognerai !

– Il est chez Logan. Il... a décidé d'y rester un peu...

Ses mots trébuchaient les uns sur les autres.

– Je... il a dit qu'il était chez moi parce que sa mère aime pas Logan.

– Logan est à l'université, ai-je grondé. Le soir du restaurant, il a dit qu'il y partait la semaine suivante, alors arrête de me mentir !

– Je te mens pas, je te mens pas ! a débité Paul, paniqué en voyant mon poing levé. Logan a pas eu d'assez bonnes notes. Je te le jure. Il est pas à l'université. Crois-moi !

– Hmmm…

Je le croyais en fait. Je me suis levé et j'ai pris une seconde pour réfléchir.

Paul a commencé à se redresser.

– Je… je suis désolé pour ton frère…

D'un coup de poing, je l'ai rallongé par terre.

– Je t'interdis de parler de mon frère ! T'as compris ?

– Je… je suis désolé, a toussé Paul.

– Tu vas téléphoner à Josh pour le prévenir que je le cherche ? lui ai-je demandé d'un ton glacial.

Il a secoué la tête.

– Il le sait déjà. C'est pour ça qu'il est jamais chez lui.

J'ai plissé les paupières, me rappelant la manière dont Paul s'était agenouillé sur moi pendant que Josh frappait mon frère comme un fou. J'avais envie de lui casser la figure mais avant je voulais attraper Josh. Paul devrait attendre son tour. Ce que je voulais savoir, c'est pourquoi ils étaient encore en liberté après ce qu'ils avaient fait à Adam. Pourquoi la police ne les avait-elle pas arrêtés ?

– Les flics ne sont pas venus vous voir ?

Paul a baissé les yeux.

– Si. J'ai dû aller au commissariat avec mes parents. J'ai été relâché le temps de l'enquête mais ils m'ont prévenu que je serais sûrement accusé de pugilat et que je passerai au tribunal. Pareil pour Logan.

Pugilat ? C'était quoi ça ?

– Et Josh ?

– Ils l'ont pas encore trouvé. Mais mon père dit qu'il sera accusé de coups et blessures.

Coups et blessures ? C'était pas assez à mon goût. C'était même loin d'être suffisant.

– Il aurait dû se rendre, ai-je lancé. Il aurait été plus en sécurité avec la police qu'entre mes mains. Si tu l'appelles, dis-lui que c'est pas la peine de fuir parce que je le retrouverai. J'irai jusqu'en enfer s'il le faut.

Je me suis tourné pour partir.

– C'était pas sa faute… a dit Paul dans mon dos.

J'ai fait volte-face.

– Je veux dire… Josh… Josh a frappé ton frère, mais… c'était…

De quoi il parlait ?

– C'était pas sa faute.

Je me suis penché vers lui. Il venait de remonter sur ma liste des priorités. Paul s'est reculé et s'est protégé d'un bras.

– C'était la faute de qui alors ? Celle de mon frère ?

– Non, non, a répondu Paul à toute vitesse. On avait tous bu mais c'est Logan qui…

– Tu la craches, ta Valda ? ai-je crié.

– Quand on est sortis du Bar Belle ce soir-là, Logan arrêtait pas d'emmerder Josh. Il le traitait de… de… d'être comme Adam. Et Josh, ça le foutait de plus en plus en colère. J'ai dit à Logan d'arrêter mais il m'a pas écouté et Josh a fini par dire qu'il allait prouver à quel point il détestait les pédés. Mais même là, Logan a continué à le provoquer. Et ils ont eu l'idée de vous attendre pour que Josh puisse prouver qu'il était pas un… enfin… un…

– C'est bon, j'ai compris, l'ai-je interrompu brutalement.

– Je pensais pas que ça irait aussi loin, je te le jure. J'avais jamais vu Josh comme ça mais il aurait jamais frappé ton frère si Logan l'y avait pas poussé.

Tu sais comment est Josh quand Logan le pousse...

Je me suis passé la main dans les cheveux. J'essayais de remettre de l'ordre dans mes idées. Est-ce que je m'étais complètement planté ? Est-ce que c'était Logan que je devrais chercher ? Est-ce que c'est lui qui tirait les ficelles ? J'ai secoué la tête. Je ne pouvais pas me permettre de douter. Pas maintenant. J'avais passé les dernières semaines à réfléchir à tout ça et à prendre des décisions. C'était pas le moment de tout remettre en question. Josh d'abord, Logan tout de suite après.

– Écoute-moi, Paul, je vais te donner un conseil. Reste loin de moi et des miens. Si tu me croises dans la rue, change de trottoir, parce que la prochaine fois que je te vois, tu y passes !

J'ai fait demi-tour et je suis parti.

Il était temps de trouver Josh.

41. Dante

Ça avait été plus facile que prévu. Il m'avait suffi de surveiller la maison de Logan pendant une seule soirée pour le repérer. Le second soir, je me suis posté dans la rue et je l'ai laissé venir vers moi, la tête baissée, son sac sur le dos.

Je l'ai regardé approcher. Il portait un jean, un T-shirt crade et la veste en cuir qu'il avait eue pour son seizième anniversaire. Chacun de ses pas augmentait ma fureur. Chacun de ses pas ravivait le souvenir des coups infligés à mon frère. Il s'était planqué, il avait attendu pour agresser Adam. Et pour quoi ? Parce que Adam l'avait insulté dans le restaurant ? La tête toujours baissée, Josh ne me voyait pas. J'ai jeté un rapide coup d'œil autour de moi. Trois personnes passaient un peu plus loin dans la rue mais elles s'éloignaient. Cette soirée d'automne était sombre et froide. C'est comme ça que je me sentais à l'intérieur.

J'ai souri. Josh n'était plus qu'à quelques pas.

Il a soudain réalisé que quelque chose n'allait pas. Il a relevé la tête. Ses yeux se sont écarquillés et sa bouche s'est ouverte. Il a fait demi-tour et est parti comme une flèche. On aurait dit que le diable s'était dressé devant lui. C'était pas loin de la réalité.

Josh était rapide.

Mais j'étais plus rapide que lui.

Je l'ai plaqué sur le sol puis tiré pour qu'il se relève. Je l'ai collé au mur le plus proche avec toute la violence qui était en moi. Il a exhalé l'air que contenaient ses poumons dans un sifflement douloureux.

– Je suis désolé… je suis désolé…

Les mots ont bondi hors de sa bouche avant que j'aie eu le temps de parler. Il a levé les bras pour me repousser mais je les lui ai rabattus. Mes mains étaient sur son cou, mes yeux étaient plongés dans les siens. Lentement, mes doigts ont serré sa gorge.

– Je suis désolé...

Josh se débattait frénétiquement.

– Je voulais pas... Il aurait pas dû m'embrasser...

J'ai resserré mon étreinte. Le teint de Josh avait viré à l'écarlate. Je voulais lui faire goûter ce qu'il avait servi à mon frère. Des images de police, de tribunal, de prison ont fait irruption dans ma tête. J'ai légèrement détendu mes doigts. Mais seulement quelques secondes. Josh devait payer.

Mon frère ne méritait rien de moins.

Les yeux emplis de terreur, Josh a compris le sort que je lui réservais. Il reculait comme pour essayer de rentrer dans le mur derrière lui. Mais c'était impossible. Ses paupières ont commencé à osciller.

Arrête, Dante...

Non ! J'allais le faire payer ! Une guerre se livrait en moi. Le visage d'Emma dansait devant mes yeux. Son sourire entamait ma haine. Il fallait que je me concentre sur Adam, pas sur ma fille.

Emma...

Bon sang !

Josh a cessé de se débattre. Au lieu de ça, il s'est penché vers moi.

Et m'a embrassé.

Je l'ai immédiatement lâché pour essuyer mes lèvres avec dégoût. Josh s'est écroulé à mes pieds, toussant et luttant pour reprendre sa respiration.

– Espèce de cinglé ! ai-je crié. Je vais te tuer !

Josh a levé le bras pour me repousser mais en vain. J'ai abattu mes poings sur son visage avec toute la rage et la furie qui grondait en moi. Il s'est protégé le visage de ses bras, s'est recroquevillé, roulé sur lui-même. Mais ça ne faisait aucune différence pour moi.

– Tu vois, a-t-il crachoté, les lèvres en sang, tu nous détestes ! Tu détestes les pédés autant que moi !

Ses mots m'ont traversé comme la foudre. Mon poing est resté en suspens. Josh s'est mis à pleurer. Des sanglots haletants et gênés faisaient trembler son corps.

Tu nous détestes...

– Tu es... homo ?

Josh a opiné, toujours pleurant.

– Je ne... je ne déteste pas... je ne suis pas comme toi. C'est à cause de ce que tu as fait à mon frère, ai-je bégayé.

Mais qui essayais-je de convaincre ? Josh ou moi-même ? J'étais au-dessus de lui, les poings serrés, prêt à le tuer. J'avais décidé de le faire payer.

Payer ?

Te raconte pas de conneries, Dante.

J'avais décidé de le faire souffrir, de lui faire endurer pire que ce que mon frère avait enduré. J'avais tout prévu. C'était froid et calculé et je n'avais pensé à rien d'autre depuis le soir de l'agression. Si je finissais en prison, Papa et Adam veilleraient sur Emma. Et puis comme ça, Emma aurait eu ma chambre pour elle toute seule plus vite. Les services sociaux ne l'auraient pas séparée de sa seule famille. C'est là-dessus que je comptais. Papa ne les laisserait pas prendre ma fille. Elle serait mon seul véritable regret mais si Josh recevait ce qu'il méritait, alors peut-être mon frère pourrait-il reprendre sa vie.

Œil pour œil.

Mais Josh m'avait embrassé…

Et mes derniers doutes s'étaient envolés. Je n'avais plus eu qu'une envie : le tuer. Je pensais le haïr pour ce qu'il avait fait à mon frère mais ça n'était rien comparé à ce que j'avais ressenti quand il m'avait embrassé.

Pourquoi avait-il fait ça ?

Je me suis appuyé contre le mur. Je ne comprenais pas.

Les sanglots de Josh commençaient à s'éteindre. Il a inspiré longuement, essayant de reprendre le contrôle de lui-même. Il s'est levé lentement, crachant du sang. Nous nous sommes fixés. Il tremblait. J'étais parfaitement immobile.

– Est-ce que… est-ce qu'Adam va… va bien ?

Je l'ai regardé. Il se foutait de moi ? Mon frère avait réchappé de justesse à la mort et il avait le culot de me demander de ses nouvelles ?

– Ça t'amuse ? lui ai-je demandé.

Il a secoué la tête.

– Non… je… non…

S'il avait seulement esquissé un sourire, je me serais de nouveau jeté sur lui mais son expression est restée sombre.

– Tu peux… tu peux lui dire que je suis désolé ?

Les poings toujours serrés, j'ai toisé Josh et je suis parti.

Quand je suis arrivé à la maison, minuit était passé depuis longtemps. J'avais marché et réfléchi. Mes pensées n'avaient pas été des plus agréables mais j'avais essayé d'être honnête avec moi-même. J'avais d'abord songé à mettre la main sur Logan. Et puis, je m'étais calmé. Je commençais seulement à comprendre à quel point nous nous étions tous fait avoir. Josh compris, même si je n'éprouvais aucune sympathie pour ce connard. Logan nous avait manipulés et nous avait tous envoyés nous rentrer dedans. Colette et Adam avaient su voir sous son masque. Il y a longtemps maintenant, j'avais rêvé de devenir journaliste et d'écrire la vérité. Marrant, non ? Alors que je n'avais même pas été capable de découvrir la vérité quand elle était sous mon nez.

Que devais-je faire au sujet de Logan ?

J'ai finalement décidé de laisser tomber. Logan avait besoin qu'on lui donne une leçon mais ce n'est pas moi qui m'en chargerai. À vrai dire, le seul endroit où je voulais être, c'était près de ma fille et de mon frère. Ils avaient tous deux plus besoin de moi que moi de me venger.

Quand je suis enfin arrivé à la maison, je voulais juste m'effondrer sur mon lit et m'endormir. Ne pas rêver. Mais quand je suis entré dans ma chambre sur la pointe des pieds, Emma s'est aussitôt réveillée. J'ai grommelé intérieurement en la voyant se lever. Je me serais bien passé d'avoir à me préoccuper de ses dents.

— Rendors-toi, Emma.

J'ai essayé de la rallonger mais elle ne s'est pas laissé faire. J'ai soupiré.

— Emma, s'il te plaît, rendors-toi.

Elle a tendu les bras pour que je la prenne. J'ai cédé. J'étais prêt à tout pour ne pas l'entendre pleurer. Je me suis assis sur mon lit et elle a posé sa tête sur mon épaule. Je l'enviais tellement. Le monde avait plus de sens pour elle que pour moi.

— Papa… a dit Emma.

Je me suis immobilisé.

— Qu'est-ce que tu as dit ?

— Papa, a-t-elle répété.

— C'est qui ton papa ?

Emma a appuyé son doigt sur ma poitrine.

– Papa…

Je me suis levé d'un bond. Emma dans les bras, j'ai couru jusqu'à la chambre de mon père. J'ai allumé sa lumière et je me suis approché de son lit.

– Papa ! Papa !

Il s'est assis d'un coup en clignant des yeux, le regard perdu.

– Qu'est-ce qui se passe ? Un problème ?

– Écoute ! Écoute-la ! Vas-y, Emma, dis-le encore.

Emma est restée silencieuse. Papa a froncé les sourcils et m'a dévisagé comme si j'avais perdu la raison.

– Je suis qui, Emma ? Dis à Papi qui je suis ? l'ai-je cajolée.

– Papa ! a ri Emma et j'ai ri moi aussi.

Elle l'a répété encore. Elle savait ce qu'elle disait. Je l'ai fait tourner en la tenant au-dessus de ma tête et en riant. Elle s'amusait comme une folle.

– Tu as entendu ! Elle a dit « Papa » !

– Super ! Bien joué, Emma. Et maintenant, dégage, Dante. Il est 1 heure du matin !

Papa s'est laissé retomber sur son oreiller, les yeux clos, le visage épuisé.

– Papa ! Pas de gros mots devant Emma, l'ai-je sermonné.

Papa a rouvert les yeux.

– Dégage, Dante !

– Mais Papa…

J'ai senti que cette fois, il valait mieux que je parte. J'ai quitté sa chambre, le sourire aux lèvres.

– C'est bien, Emma, ai-je murmuré à ma fille en la remettant dans son lit. Je suis ton papa. Papa t'aime très fort.

42. Dante

Je n'étais pas le seul à m'inquiéter pour Adam. On lui avait ôté la broche de sa mâchoire et ses bandages depuis un bout de temps, mais mon frère n'était pas revenu. Il ne quittait pas sa chambre et ne parlait presque pas. Quand il acceptait de manger – il fallait que Papa ou moi insistions longuement –, c'était toujours seul dans sa chambre. Il ne descendait que très rarement et quand ses consultations à l'hôpital n'ont plus été nécessaires, il n'a plus quitté la maison. Ses amis, garçons et filles, sont passés lui rendre visite mais il a refusé de les voir. Après deux ou trois fois, ils ont cessé de venir.

Le côté gauche de son visage était redevenu presque normal, mais le côté droit donnait l'impression qu'il avait eu une attaque. Sa paupière pendait et il n'avait récupéré que cinquante pour cent de sa vision. Il avait une cicatrice sur la tempe et la peau au-dessus de sa pommette était marbrée et couturée. Les fils avaient été retirés depuis longtemps mais les cicatrices ne s'étaient pas encore estompées.

Adam refusait de voir Emma et il refusait qu'elle le voie.

Il n'avait émergé de sa stupeur que deux fois ces derniers mois et à chaque fois, ça avait été parce que Emma avait essayé d'entrer dans sa chambre. Les deux fois, il m'avait hurlé de venir la chercher tout en lui criant de partir. Les deux fois, il avait réussi à la faire pleurer. Je reconnais que ça m'avait agacé mais je m'étais dominé pour ne pas lui faire de remarque désagréable. De justesse.

– Tu n'as pas besoin de lui crier dessus comme ça, lui avais-je dit. Elle veut seulement voir son oncle. Tu lui manques.

– Tu devrais me remercier, avait rétorqué Adam en nous tournant le dos. Je lui évite de faire des cauchemars. Maintenant, prends-la et va-t'en.

Quand Emma avait arrêté de pleurer, j'avais tenté de lui expliquer.

– Ton oncle est malade. Il ne va pas bien.

Je choisissais mes mots soigneusement.

– Quelque chose est arrivé à son visage et maintenant, il n'est plus pareil. Il est malheureux et il veut que personne ne le voie comme ça.

Emma a soupiré avec une patience et une compréhension que moi-même je ne ressentais pas à ce moment précis.

Pauvre Adam…

Je cherchais un moyen de l'aider. De le ramener. Mais je n'en trouvais aucun.

Nous avons reçu de bonnes nouvelles. Deux jours après ma confrontation avec Josh, un officier de police est venu chez nous pour nous apprendre que l'agresseur de mon frère s'était rendu et qu'il avait été arrêté pour coups et blessures avec intention de blesser, ce qui, nous a-t-elle expliqué, était plus grave que juste coups et blessures. J'étais obligé de la croire sur parole. J'ai donné l'info à Adam mais il n'a pas bronché. Je le lui ai répété deux fois pour être sûr qu'il m'avait entendu. Je n'ai obtenu aucune réaction.

Mon frère était cassé et je ne savais pas comment le réparer.

Je ne trouvais pas d'emploi et Papa travaillait comme un fou pour joindre les deux bouts. J'avais fini par me décider à demander une allocation chômage. Je détestais ça mais Emma avait besoin de couches, de vêtements et de nourriture et ce n'était pas juste de laisser Papa payer pour tout. Adam restait dans sa chambre. Papa était épuisé et j'avais l'impression d'être devenu ce profiteur que la femme du magasin de journaux m'avait accusé d'être quelques mois plus tôt. Sans Emma, il n'y aurait pas eu beaucoup de rires dans la maison.

L'hiver est passé sans que rien change. À Noël, Adam n'est même pas descendu partager le repas avec nous. Papa et moi avons fait la totale pour Emma, avec sapin de Noël et cadeaux mais malgré tout, ça n'a pas été d'une gaieté folle. Quand parfois Emma se réveillait en pleurant à cause d'une dent qui sortait et que je devais la bercer, j'entendais Adam faire les cent pas dans sa chambre. Et je l'ai même, j'en suis presque sûr, entendu pleurer.

Après les vacances de Noël, Papa a exigé qu'Adam retourne au lycée.

– Je ne peux pas, a affirmé mon frère. Je ne suis pas prêt.

– Si tu continues comme ça, a insisté mon père, tu ne seras jamais prêt.

– Je ne suis pas prêt, a répété Adam.

Et la discussion s'est arrêtée là.

Papa était si inquiet que j'ai fini par appeler notre médecin.

– Tu crois que je devrais prévenir Adam que le docteur Planter vient le voir ? m'a demandé Papa une heure avant l'arrivée du docteur.

J'ai secoué la tête.

– Il te demanderait d'annuler le rendez-vous ou il appellerait pour annuler lui-même.

Papa a acquiescé et suivi mon conseil.

– Dante, va prévenir Adam que le médecin est là, m'a demandé Papa avec un regard entendu quand le docteur est arrivé.

J'ai cru qu'Adam se mettrait en colère et je crois que j'aurais été content qu'il le fasse. Mais ça n'a pas été le cas. Il a réfléchi un moment.

– Je veux bien la voir mais tout seul, a-t-il dit.

Du palier, j'ai appelé :

– Docteur Planter, vous voulez bien monter, s'il vous plaît ?

Alors que le médecin entrait dans la chambre d'Adam, j'ai prévenu Papa.

– Adam veut être seul.

Papa a froncé les sourcils mais n'a pas discuté. Quand, enfin, le docteur Planter est sortie de la chambre d'Adam, nous attendions sur le palier, prêts à bondir.

– Comment va-t-il ? Est-ce qu'il va aller mieux ? a attaqué Papa. Il ne peut pas continuer comme ça.

Le docteur Planter a secoué la tête.

– À mon avis, Adam n'est pas prêt physiquement ni émotionnellement à retourner au lycée. Il ne dort pas et souffre par voie de conséquence d'un épuisement moral et mental. Je vais lui prescrire des somnifères.

– Ce n'est pas dangereux ? s'est inquiété Papa. Il n'est pas un peu jeune pour prendre des somnifères ?

– Ce n'est pas une solution à long terme, a précisé le docteur. Adam a le sentiment que s'il pouvait dormir, son état s'améliorerait et je suis d'accord avec lui. Je vais lui faire une ordonnance pour deux semaines. Ça devrait suffire à lui rendre un sommeil régulier. Je reviendrai le voir dans quinze jours. S'il n'a pas fait de progrès d'ici là, il faudra probablement le faire aider.

Papa a acquiescé en silence, mais il n'était pas complètement satisfait.

– Monsieur Bridgeman, a repris le docteur. Je sais qu'Adam n'aime pas les médecins mais il faudra que vous le convainquiez qu'il a besoin d'être suivi.

– Je vous ai entendue, a répondu mon père. C'est ma faute. J'aurais dû vous appeler plus tôt.

Le docteur Planter a griffonné son ordonnance et est partie. Et voilà. Je ne savais pas ce à quoi je m'étais attendu. Une solution, un médicament, un miracle ? Il n'y avait rien eu de tout ça. La porte d'Adam est restée fermée et j'avais l'impression d'être séparé de mon frère par un océan.

Il m'échappait et je ne savais pas comment le retenir.

– Je garderai les cachets, a dit mon père. J'en donnerai un chaque soir à Adam. Comme ça, il ne risquera pas d'en prendre deux d'un coup par erreur. Tu sais comment il est avec les médicaments.

Oui, je le savais. Et le fait qu'il ait accepté d'en prendre révélait à quel point il était conscient d'avoir besoin d'aide.

Était-ce bon signe ? Ou est-ce que je m'accrochais à des chimères ?

J'ai choisi d'être optimiste.

43. Adam

Et les voilà qui frappaient encore à ma porte. Papa ou Dante ? Peu importait. Je ne voulais les voir ni l'un ni l'autre. Pourquoi est-ce qu'ils ne se le mettaient pas dans la tête une fois pour toutes ? Je ne voulais voir personne. Je ne voulais parler à personne. Et je voulais que personne ne me voie. J'étais tellement fatigué. Peut-être que les cachets du docteur Planter allaient m'aider. Je l'espérais. Je ne pouvais pas continuer comme ça. Il fallait que je fasse quelque chose pour récupérer ma vie. Tout ce que je regardais avec mon œil droit était brouillé et j'avais perdu toute vision périphérique. Et même si tous les miroirs de la maison avaient été enlevés, mes doigts et les vitres de la fenêtre de ma chambre me racontaient la vérité : mon visage ne ressemblait plus à rien.

Le chirurgien, le docteur Marber, m'avait expliqué que j'avais eu de la chance. Si je n'avais pas été à l'hôpital quand mon hématome sous-dural a décidé de se manifester, je serais probablement mort. C'est ce qu'il m'a dit. Probablement mort. Qu'essayait-il de me faire croire ? Que j'avais eu de la chance d'avoir été battu et défiguré ? Si c'était le cas, il avait lamentablement échoué. J'étais coincé dans ma chambre et l'avenir qui se présentait à moi était aussi aride qu'un désert.

Voilà ma vie.

Une vie que j'avais peur d'affronter.

J'avais essayé d'être fier de ce que j'étais.

Je voulais être entendu du monde entier. Il ne me restait même pas les murmures.

Juste le silence.

44. Dante

Au bout d'une quinzaine de jours, Adam a affirmé que les cachets avaient joué leur rôle et qu'il n'avait plus besoin d'en prendre. Il a catégoriquement refusé de revoir le médecin. Il a continué à rester enfermé dans sa chambre.

Et nous avons continué comme avant.

Comme si ça n'était pas assez, Véronica a téléphoné pour prendre rendez-vous. Dans le but de parler de l'avenir d'Emma avec Papa et moi. Et cette fois, il s'agissait d'une visite officielle. Papa, une fois de plus, a dû demander une journée au travail.

Le jour de la visite, Papa m'a prévenu :

– Tiens ta langue, Dante, et pour l'amour de Dieu, ne t'énerve pas.

– Pourquoi tu me dis ça ?

– Parce que je te connais. Si elle prononce le moindre mot qui ne te plaît pas à propos d'Emma, tu vas lui sauter à la gorge. Alors, rappelle-toi que tu fais ça pour Emma et ferme ta grande bouche ! D'accord ?

J'ai acquiescé. Papa avait raison. Je ne pouvais pas me permettre de me planter. Je devais me montrer sous mon meilleur jour. Véronica est arrivée à 2 heures et demie et Papa l'a escortée jusqu'au salon.

– Vous voulez boire quelque chose ? a proposé Papa. Thé ? Café ?

– Non merci, a refusé Véronica.

Dehors, il pleuvait à seaux. Le temps gris assombrissait la pièce.

– Où est Emma aujourd'hui ? a demandé Véronica avec un faux sourire sucré.

– Elle est en train de faire sa sieste, ai-je répondu.

– Nous ne la dérangerons pas pour le moment, mais j'aimerais réellement la voir avant de partir, a lâché Véronica sans se départir de son rictus.

– Pas de problème.

J'ai adressé à Véronica un sourire aussi factice que le sien. La dernière fois que j'avais parlé à Colette, je n'avais pas été très... sympa et je ne doutais pas une seconde que Colette l'avait raconté à sa sœur.

Papa a désigné le canapé ; Véronica s'est assise sur le fauteuil. Papa et moi avons échangé un regard et nous sommes tous les deux installés sur le canapé. Véronica a demandé à voir le carnet de santé d'Emma. Je le lui ai donné sans récriminer. Très content en fait de lui montrer que les vaccins de ma fille étaient parfaitement à jour. Une conversation polie a suivi. Entre autres choses, Véronica m'a demandé si je percevais des allocations familiales pour Emma. Ce n'était pas le cas. J'avais supposé que où qu'elle soit, Mélanie continuait de toucher cet argent. À ma grande surprise, Véronica m'a expliqué les démarches à accomplir pour qu'il me soit versé plutôt qu'à Mélanie. Elle m'a aussi conseillé de faire modifier l'acte de naissance de Véronica afin que mon nom y apparaisse. Ce qui me donnerait des responsabilités et des droits au regard de la loi. Et il ne fallait pas que je traîne parce que c'était mieux de le faire avant qu'Emma ait deux ans. Après, ça devenait plus compliqué. Que mon nom soit inscrit sur le certificat de naissance faciliterait l'obtention des allocations. J'écoutais mais pour dire la vérité, je ne voulais pas trop attirer l'attention sur moi. Et je ne voulais pas non plus vivre d'aides sociales. Ça me déplaisait suffisamment de toucher le chômage. Je voulais trouver un travail. Par fierté, sans doute. Je ressemblais décidément beaucoup à mon père.

Je continuais de guetter les pièges mais je n'en décelais aucun. Le tout nous a bien pris une heure mais à aucun moment je n'ai eu envie de perdre mon calme et j'ai trouvé très intéressantes les informations de Véronica. Le seul moment délicat a été quand elle a demandé :

– Comment va ton frère Adam ? J'ai appris qu'il avait fait un séjour à l'hôpital.

– C'est vrai, a répondu Papa. Mais il va mieux. Il progresse de jour en jour.

– J'en suis contente, a souri Véronica.

Et cette fois, son sourire paraissait sincère.

– Y a-t-il des questions que tu voudrais me poser, Dante, ou as-tu quelque chose à ajouter ?

– Non, je ne crois pas.

– Bon, très bien.

Véronica s'est levée.

– Si je pouvais voir Emma avant de partir…

Je l'ai guidée à l'étage. Emma était profondément endormie dans son petit lit. Papa, Véronica et moi étions autour d'elle et nous l'avons regardée un moment.

– Elle parle ? a murmuré Véronica.

– Oui, ai-je répondu, incapable de dissimuler la fierté qui perçait dans ma voix. Elle prononce quelques mots. Et un peu plus chaque jour.

Je me suis penché sur le lit pour caresser les cheveux de ma fille.

– Elle est très importante pour toi, n'est-ce pas ? a souri Véronica.

– Oui. C'est ma fille…

Ce mot ne suffisait pas à décrire ce que je ressentais…

– C'est mon monde.

Le sourire de Véronica s'est élargi.

– Bien. Il est temps que j'y aille. J'espère vous avoir été utile.

– Oui, a déclaré Papa en lui serrant la main.

– Merci Véronica, ai-je renchéri en lui serrant la main à mon tour un peu plus longtemps qu'il n'était strictement nécessaire.

Après son départ, Papa et moi avons échangé un regard soulagé. Un petit coin de ciel bleu dans notre ciel gris.

Le printemps était enfin là. C'était la veille de l'anniversaire d'Adam et je voulais que ce jour soit extra-spécial. Je ne pouvais rien lui acheter, j'étais complètement fauché. Mais il fallait que je trouve un truc époustouflant qui le sortirait de sa léthargie.

J'ai laissé Emma dans le salon et je suis monté le voir. Il était assis sur une chaise près de la fenêtre qui donnait sur le petit jardin clos. Comme d'habitude, il tournait le dos à la porte. Il devenait de plus en plus sensible à l'idée que qui que ce soit voie son visage – même Papa et moi.

– Coucou Adam! ai-je lancé en forçant ma voix pour avoir l'air super joyeux.

Il n'a pas répondu. Mais je m'y attendais.

– Qu'est-ce que tu veux pour ton anniversaire demain?

Silence.

– Allez! Tu dois bien avoir une idée. Et ça nous ferait plaisir de te faire plaisir, à Emma et moi.

– Je peux avoir un miroir?

Quoi? J'avais sûrement mal entendu.

– Pardon?

– Est-ce que je peux avoir un miroir? a répété Adam.

– Quoi ? Maintenant ? ai-je demandé, perdu.

– Oui, s'il te plaît.

Je n'étais pas sûr de devoir accéder à sa demande mais Papa était au travail et je ne pouvais pas le consulter. J'ai pensé à l'appeler mais ça semblait idiot de téléphoner juste parce que Adam réclamait un miroir. C'était un progrès, non, le fait qu'il veuille à nouveau voir son visage ?

J'ai presque couru chercher le miroir de la salle de bains que Papa avait rangé dans le placard sous l'escalier. Peut-être… peut-être que j'allais enfin retrouver mon frère. Je suis remonté dans sa chambre en tenant le miroir vers moi. Adam s'est lentement retourné.

– Tu veux que je le tienne ?

Adam a acquiescé.

J'ai tourné le miroir et, doucement, je l'ai levé au niveau de son visage. Le temps s'est arrêté pendant que mon frère observait, étudiait son reflet. La cicatrice sur sa tempe était devenue presque invisible, de même que les cicatrices sur sa joue. Sa pommette n'était plus marbrée même si sa peau n'était plus aussi lisse qu'avant. Le problème le plus notable était son œil dont la paupière pendait.

Quand Adam a enfin ouvert la bouche, il a dit :

– Ça va, tu peux l'enlever maintenant.

J'ai posé le miroir et je me suis appuyé contre le mur à côté de la porte.

– Je suppose que ma carrière d'acteur mord la poussière.

– Pourquoi tu dis ça ? Tu peux toujours être acteur. Tu as toujours tout réussi ! Et si ça ne marche pas, il y a des tas de choses que tu pourras faire, ai-je ajouté.

– Jamais de plan B, tu te rappelles ?

– Il n'est pas trop tard.

Adam n'a pas répondu.

– Tu veux... tu veux reparler de... l'agression ? ai-je tenté.

– En reparler ne changera rien.

– Ça ne t'a pas aidé d'apprendre que Josh s'était rendu à la police ?

– Pas vraiment.

Pour toute l'émotion dont il faisait étalage, nous aurions aussi bien pu être en train de discuter de la couleur des tuiles du toit d'en face.

Il fallait que je lui pose la question qui me hantait depuis des mois.

– Pourquoi tu as fait ça, Adam ? Pourquoi tu l'as embrassé ?

– Parce que... c'est lui qui m'a embrassé le premier.

– Quoi ?

– Tu te souviens la soirée où vous fêtiez vos diplômes au Bar Belle ?

J'ai acquiescé.

– Après ton départ, Josh a essayé de m'embrasser. Je ne me suis pas laissé faire, alors il m'a frappé.

Choqué était un mot trop faible pour décrire ce que je ressentais.

– C'est vrai ?

– Pourquoi je mentirais, Dante ?

– Mais quand je t'ai interrogé le lendemain matin, tu m'as dit que Josh n'avait rien à voir avec ça.

Adam a haussé les épaules.

– J'ai menti parce que Josh était ton ami et je ne voulais pas causer de problèmes entre vous deux. Mais maintenant, je ne mens plus. Josh a essayé de m'embrasser.

Je n'en croyais pas mes oreilles. Josh avait tenté d'embrasser Adam ? Et l'avait frappé ?

– Ta lèvre était fendue, me suis-je souvenu.

– Oui, c'était Josh. Le lendemain, il m'a appelé pour s'excuser et il m'a invité à boire un verre. Et après ça, on a commencé à sortir ensemble...

Je me suis assis, stupéfait. Je venais de recevoir un coup sur la tête.

C'était juste la vérité qui me tombait dessus.

– Toi et... *Josh* ?

– On traînait ensemble. On allait au cinéma ou manger un morceau, a poursuivi Adam dans un murmure. J'étais heureux. Je croyais avoir trouvé quelqu'un. Je pensais que nous étions ensemble.

Silence.

Même si je l'avais voulu, j'aurais été incapable de prononcer un mot. C'était la période où Adam n'était jamais à la maison. Il était heureux à cette époque...

Adam a semblé perdu dans ses pensées comme s'il se remémorait ces moments.

– Mais Josh détestait qu'on le voie avec moi, a-t-il repris d'une voix douce. Et il refusait de parler de ce qui était vraiment important. Et dès qu'il y avait d'autres personnes avec nous, il me rabaissait et faisait des commentaires homophobes. Je l'aimais beaucoup mais je ne pouvais pas continuer avec quelqu'un qui vivait dans un tel mensonge...

– Et il s'est passé quoi ?

– Je l'ai quitté.

– Tu l'as *quoi* ?

– Eh oui...

Un sourire a survolé les lèvres d'Adam.

– Mais Josh l'a super mal pris. Il n'arrêtait pas de me téléphoner. Il me harcelait. Alors j'ai bloqué ses appels. C'est ce qui l'a rendu si furieux contre moi.

Tout se mettait en place dans ma tête ; l'antagonisme entre eux, les regards étranges, les commentaires amers de Josh. Adam était gay et se fichait que qui que ce soit le sache. Même Papa et moi. Josh était gay mais ne le supportait pas. Toutes ces remarques péjoratives sur les homosexuels ! Les gens qu'il méprisait le plus au monde ! Et à chaque fois, il parlait de lui-même...

– Quelle connerie !

J'ai secoué la tête. Je voulais être sûr de tout bien comprendre.

– Tout ça parce que Josh n'est pas capable d'admettre qu'il préfère les garçons ! Bon sang ! C'est pas une maladie contre laquelle on peut se vacciner. Tu nais homo ou hétéro, point final.

– Et si tu es bisexuel ? m'a demandé Adam.

– Les bisexuels naissent... à cheval entre les deux. Un pied dans chaque camp.

Adam m'a observé, une étrange étincelle luisant dans ses yeux.

– Quoi ?

Il a souri.

– Alors, être gay n'est pas seulement une phase ?

– Hein ? Bien sûr que non ! Pourquoi...

Je me suis soudain rappelé la conversation que nous avions eue des mois plus tôt. Dans une autre vie.

– Oh, va te faire voir, Adam !

Il a pris un air innocent.

– Quoi ? Je demandais, c'est tout !

– Bon, d'accord. Tu as fait passer ton message !

– Non, a rétorqué Adam. C'est toi qui as fait passer le tien.

Mon frère se croyait toujours aussi malin.

– Alors, toi et Josh… ai-je repris en revenant au sujet qui me préoccupait.

– Oui, moi et Josh.

Malgré moi, j'étais désolé pour mon ancien pote. Pas beaucoup mais un peu quand même. Et ça m'a surpris. C'était la dernière personne au monde à mériter ma sympathie. Mais c'étaient les sentiments d'Adam qui étaient importants. Pas les miens.

– Tu… tu penses à lui parfois ?

Pause.

– Tout le temps, a fini par répondre mon frère.

Oh, Adam…

– Est-ce que ça ne t'aiderait pas de l'oublier et de passer à autre chose ?

– Et comment j'y arrive, Dante ? Chaque fois que je touche mon visage, je me rappelle. Chaque fois que je respire, je me rappelle.

Que pouvais-je répondre à ça ? Quand nous étions petits et qu'Adam se faisait mal, je lui mettais un pansement, je lui faisais un câlin, je lui donnais un verre d'eau, ou bien des bonbons, et nous repartions jouer.

Mais nous étions petits.

– La lettre que j'ai reçue hier… a commencé Adam.

– Oui ?

C'est moi qui la lui avais apportée.

– Elle était de Josh, a-t-il terminé.

– Quoi ? Pourquoi est-ce qu'il t'écrit ? Qu'est-ce qu'il veut ?

– Calme-toi, Dante, a faiblement souri Adam.

J'ai pris une longue inspiration mais le doute et la colère montaient doucement en moi.

– Il ne va pas bien, a continué mon frère.

– Mon cœur saigne pour lui, ai-je commenté ironiquement. Il t'a écrit pour te dire quoi ? Que c'est ta faute ? Où est sa lettre ?

– Je l'ai jetée.

– Bravo ! C'est ce qu'il y avait de mieux à faire. Qu'est-ce qu'il racontait à part ça ?

– Pas grand-chose. Qu'il était désolé.

Désolé, mon cul !

Mon frère s'est tourné vers la fenêtre. J'ai observé son profil un moment et ma colère s'est éteinte. Où était Adam ? Mon frère me manquait.

– Adam, combien de temps encore vas-tu rester enfermé dans cette chambre ?

Il n'a pas répondu. Il a continué de regarder par la fenêtre, les épaules basses, dans une attitude de défaite. Je détestais qu'il soit ainsi. Ce n'était plus mon frère assis en face de moi, juste une coquille vide.

– Papa ?

Emma a passé la tête dans l'entrebâillement de la porte. Adam a bougé sa chaise de façon à ce qu'Emma ne puisse pas le voir d'où elle était.

– Emma, je t'avais laissée dans le salon !

Je ne savais pas qu'elle pouvait monter les marches toute seule. Je ne mettais la barrière que quand elle était à l'étage.

– Bouzou onquie dadan...

La version d'Emma pour « bonjour oncle Adam ». L'incertitude dans sa voix était évidente. Elle n'avait pas vu Adam depuis des mois et elle se rappelait certainement les fois où il avait crié sur elle.

– Dante, je voudrais que tu partes, a murmuré mon frère.

Il s'est tourné un peu plus pour que je ne voie plus que son dos.

Avant que j'aie pu la retenir, Emma s'est approchée en se dandinant.

– Bouzou onquie, a-t-elle répété. Bouzou.

Adam s'est raidi. Il désirait sûrement plus que tout que je prenne Emma et que je quitte la pièce mais quelque chose me retenait. Emma a fait le tour de la chaise pour voir Adam de face. Elle a levé les yeux vers lui puis a souri en tendant les bras.

Adam a regardé sa nièce.

Emma a agité les bras. Le message était clair. Lentement, Adam s'est penché pour la soulever. J'ai expiré. Je n'avais même pas remarqué que j'avais bloqué ma respiration. Adam avait posé Emma sur ses genoux. Il la tenait comme on tient un objet fragile. J'ai compris qu'il lui laissait la possibilité de bondir et de fuir. Emma a caressé les cicatrices sur la joue d'Adam.

– Mal ?

– Oui, a murmuré Adam.

– Beaucoup ?

– Beaucoup.

– Bisou ?

Adam a soupiré puis souri. Le premier vrai sourire depuis bien longtemps.

– Oui, s'il te plaît.

Emma s'est mise debout sur les cuisses d'Adam pendant qu'il la tenait. Elle s'est penchée en avant et a embrassé sa joue couturée. Puis elle a entouré son cou de ses bras et l'a serré.

Et d'où j'étais, je voyais qu'Adam pleurait.

45. Adam

Emma a entouré ses bras autour de mon cou et a appuyé sa joue contre la mienne. Elle m'a serré contre elle comme si elle n'allait plus jamais me lâcher, comme si elle ressentait tout ce que je ressentais.

C'était si étrange qu'elle me console. Je me suis accroché à elle. Et quand mes larmes ont commencé à couler, elles n'ont plus voulu s'arrêter. Et Emma ne me lâchait toujours pas. Elle n'avait pas eu peur de moi et de mon visage défiguré. Elle n'avait pas détourné les yeux comme si j'étais un monstre. Elle m'a juste embrassé et serré plus fort.

Exactement comme Maman me serrait. C'est ce qui m'a fait le plus mal.

46. Dante

Le lendemain matin, je me suis réveillé en super-forme. Adam avait enfin laissé Emma voir son visage. C'était un excellent signe. Je n'attendais pas de miracles, du moins pas de miracles instantanés, mais je voulais croire aux bons présages.

J'avais été rappelé pour un entretien d'embauche de caissier de nuit à la station-service du quartier. Ce n'était pas forcément le boulot le plus sexy du monde mais au moins, je gagnerai un peu d'argent. Aujourd'hui, je ne pouvais rien acheter d'autre qu'une carte à Adam pour son anniversaire. Mais les choses allaient changer.

J'ai sorti Emma de son lit, je lui ai fait sa toilette et nous sommes descendus petit-déjeuner. Papa était déjà dans la cuisine. Il avait été plus rapide que moi.

– Bonjour Papa.

– Bonjour Dante, m'a répondu Papa en souriant. Bonjour mon ange. J'ai préparé le petit déjeuner pour tout le monde.

– Bacon, œufs brouillés, saucisses et haricots ? ai-je demandé, plein d'espoir.

– Croissants.

C'était mieux que rien. J'avais envie d'un truc un peu meilleur que mes éternelles céréales.

– Je vais demander à Adam s'il veut descendre, ai-je lancé en installant Emma dans sa chaise haute.

– Tu crois qu'il acceptera ?

– Peut-être. Il a laissé Emma voir son visage hier !

– Ah bon ? s'est étonné Papa. Comment tu as réussi cet exploit ?

– C'est pas moi. C'est Emma.

– Comme elle est mignonne! s'est exclamé Papa en se tournant vers ma fille avant de revenir sur moi. Tu peux toujours essayer.

J'ai embrassé Emma sur le haut du crâne.

– Papa revient tout de suite.

J'ai monté les marches quatre à quatre. J'ai frappé à la porte d'Adam.

– Je peux entrer?

Pas de réponse.

– Adam?

Toujours rien.

J'ai ouvert la porte et passé la tête dans la chambre. Les rideaux étaient ouverts et la lumière du jour éclairait le lit, mais Adam dormait profondément.

– Hey! Bon anniversaire! ai-je crié. Il est l'heure de se lever! Tu viens prendre ton petit déjeuner avec nous?

Je me suis approché.

– Debout, paresseux. Ton gâteau t'attend. Tu veux souffler tes bougies maintenant ou ce soir après le dîner?

J'étais juste à côté de lui. Quelque chose s'est écrasé sous mon pied. Je me suis penché pour le ramasser. C'était un morceau de cachet. De somnifère. Mais Adam les avait finis il y a des mois. Comment pouvait-il y en avoir encore? À moins... à moins qu'Adam ne les ait gardés...

– Adam?

Je me suis penché sur lui et j'ai secoué son épaule. Sa tête a roulé sur le côté. Je l'ai secoué plus fort.

– Adam! Réveille-toi!

Je le secouais de toutes mes forces à présent. Mais son corps était mou comme un spaghetti trop cuit et ses yeux restaient fermés.

– ADAM! ADAM! RÉVEILLE-TOI! PAPA!

J'étais vaguement conscient de Papa en train de courir dans l'escalier pendant que je continuais de secouer mon frère encore et encore. Je le suppliais de se réveiller mais sa peau était froide et moite et j'avais peur qu'il ne soit trop tard...

Les dix minutes suivantes se sont déroulées dans un brouillard. Quand j'ai montré à Papa le cachet écrasé, son teint est devenu cendreux. Il a immédiatement vérifié le pouls d'Adam. Son visage était encore plus gris quand il a lâché le poignet de mon frère. Il a ensuite approché son oreille du nez d'Adam pour savoir s'il respirait encore.

– Dante! Appelle une ambulance! m'a-t-il ordonné.

Il n'a pas eu besoin de me le répéter. J'ai téléphoné pendant que Papa redressait Adam et le tirait hors du lit. Il a passé un bras de mon frère par-dessus son épaule et a commencé à déambuler dans la chambre.

– Adam! Réveille-toi! Tu m'entends? Marche, Adam. Un pied devant l'autre! Marche!

Papa traînait mon frère. Je voulais l'aider mais en bas, Emma s'est mise à pleurer.

– Papa! appelait-elle plaintivement.

– Va voir ta fille! m'a crié Papa.

– Je vais la chercher et je remon...

– Non! m'a férocement interrompu Papa.

– Mais...

– Dante! Elle n'a pas besoin d'assister à ça! Reste en bas avec elle et laisse les ambulanciers monter jusqu'ici!

J'aurais voulu protester mais Papa avait raison.

– Marche, Adam, a repris mon père, d'une voix enjôleuse cette fois.

Adam a grogné. Sa tête pendait et roulait comme s'il n'avait plus d'os dans le cou.

– Dante ! Descends, a répété Papa. Ta fille a besoin de toi.

Oui, et mon frère aussi. Mais j'ai obéi.

– Papa !

Dès que je suis entré dans la cuisine, Emma a arrêté de crier et a tendu les bras vers moi.

– Je suis désolé, ma chérie, lui ai-je murmuré en la sortant de sa chaise. Je ne voulais pas te laisser toute seule.

– Parc ! a-t-elle lancé.

– Non, Emma, pas aujourd'hui.

– Parc, s'est-elle instantanément remise à pleurer.

– Non.

Emma hurlait comme si on était en train de lui appliquer un fer brûlant sur la peau. Ma tête était sur le point d'exploser.

– Emma, nous n'allons pas au parc, point final. Nous irons un autre jour, ai-je tenté de la raisonner.

Ça ne fonctionnait pas. Je l'ai posée. Elle était si lourde soudain. Mais elle n'a pas aimé se retrouver par terre et elle a pleuré de plus belle.

– Parc... parc... exigeait-elle.

Je n'en pouvais plus. J'étais à deux doigts de...

– EMMA ! POUR L'AMOUR DU CIEL ! FERME-LA !

Elle m'a dévisagé, stupéfaite, et là, elle s'est vraiment lâchée. J'avais trouvé qu'elle pleurait fort ? Ce n'était rien en comparaison des sons qu'elle parvenait à produire maintenant. Elle me fracassait le crâne et j'étais sur le point de péter les plombs...

Alors j'ai couru. Hors de la cuisine. Je me suis réfugié dans le salon. J'ai fui aussi vite que je le pouvais. Je me suis jeté dans le fauteuil et j'ai appliqué mes mains sur mes oreilles. Je n'arrivais pas à croire ce que j'avais failli faire. Les cris d'Emma se rapprochaient. Elle a passé la tête par la porte. Elle sanglotait à présent. Elle m'a regardé avec une incompréhension qui m'a tordu les tripes.

J'ai pris une longue inspiration.

– Désolé, Emma.

J'ai ouvert les bras. Elle a couru vers moi et je l'ai serrée contre ma poitrine. Ses sanglots diminuaient petit à petit.

– Padon, Papa.

– Tu n'as pas de raison de me demander pardon, Emma.

Je lui caressais les cheveux.

– C'est moi qui te demande pardon de t'avoir crié dessus. Je suis inquiet pour oncle Adam mais je n'aurais pas dû te crier dessus.

– Pauv' Onquie Dandan, a-t-elle dit.

Il m'a fallu un moment avant de pouvoir parler de nouveau.

– Oui, pauvre oncle Adam.

– Bisou, Papa ?

J'ai avalé la boule qui obstruait ma gorge.

– Oui, s'il te plaît, ai-je murmuré.

Emma m'a embrassé la joue. J'ai embrassé la sienne. Et pendant tout ce temps, je retenais mes larmes.

Ça m'a pris du temps, mais j'ai finalement réussi à articuler les seuls mots importants :

– Je t'aime, Emma. Je t'aime fort.

47. Dante

Papa a exigé que je reste à la maison avec Emma pendant qu'il accompagnait Adam dans l'ambulance. J'ai essayé de protester mais il ne m'a pas écouté.

– Je pense qu'Emma a passé suffisamment de temps à l'hôpital ces dernières semaines.

– Mais Adam ! Je devrais être avec lui !

– Je serai à ses côtés. Toi, tu restes ici et tu t'occupes de ta fille.

Pour la première fois, j'avais peur de ce qui pouvait arriver, de ce que je pourrais faire si elle se remettait à hurler. La pensée de faire mal à ma fille me rendait physiquement malade.

J'avais pourtant failli le faire...

J'ai pris mon portable dans ma poche. Il fallait que j'appelle quelqu'un. Il n'a pas fallu plus de deux sonneries.

– Allô ?

Tante Jackie avait le ton de quelqu'un qui n'a pas envie d'être dérangée.

– Tante Jackie... je...

– Dante ?

– Oui.

– Tu sais quelle heure il est ? Tu sais que je suis allergique à la lumière du soleil avant midi le dimanche, a-t-elle ronchonné.

– Tante Jackie... Je... j'ai besoin de ton aide...

Pourquoi ces mots étaient-ils si difficiles à prononcer ?

– Qu'est-ce qu'il y a ? a-t-elle demandé, soudain attentive.

Je lui ai tout raconté. Adam et les somnifères, moi, les cris, Emma, ce que j'avais failli faire.

267

– J'arrive tout de suite. Tu m'entends ? J'arrive aussi vite que possible.

Et elle a raccroché.

Emma est venue vers moi.

– Faim, Papa.

J'ai pris une grande inspiration et me suis forcé à sourire.

– Alors, viens, on va préparer quelque chose de bon à manger.

Je l'ai prise par la main et emmenée dans la cuisine. Après l'avoir installée dans sa chaise haute, j'ai posé devant elle du raisin, des quartiers d'orange et des tranches de banane dans un bol. Je l'ai regardée agiter sa cuiller comme une arme et attaquer la banane. Et moi, je n'arrêtais pas de penser à ce que j'avais failli faire.

Il fallait que je sorte d'ici.

– Papa revient tout de suite, Emma.

Je suis monté dans la chambre d'Adam. J'avais besoin de me sentir plus près de lui, d'une manière ou d'une autre. J'ai marché dans la pièce, touchant des objets sur son bureau, bougeant sa chaise, lissant sa couette, secouant son oreiller. Et c'est comme ça que j'ai trouvé la lettre. Sous l'oreiller. Je l'ai dépliée et je l'ai lue.

Adam,

Je suis sans doute la dernière personne dont tu as envie d'avoir des nouvelles et je ne t'en voudrai pas si tu jettes cette lettre à la poubelle sans la lire mais j'espère que tu me donneras la chance que je ne t'ai pas donnée et que tu la liras jusqu'à la fin.

Comme tu le sais sûrement, je passerai bientôt au tribunal. Mon avocat essaie de réduire les charges à coups et blessures sans intention de blesser mais la police a les photos et les rapports des médecins qui expliquent parfaitement ce que je t'ai fait. Il est très probable que je fasse de la prison. Ma mère ne veut plus rien savoir de moi et mes amis m'ont laissé tomber. Je ne leur en veux pas. Crois-moi, je n'essaie pas d'obtenir ta sympathie. Après ce que j'ai fait, je sais que c'est impossible. Si je suis envoyé en prison, je n'aurai que ce que je mérite. Je l'accepte. J'ai pensé passer plutôt que de t'envoyer une lettre mais tu avais raison, je suis un lâche. Pourtant, il faut que je te le dise : je suis désolé. Je sais que ce ne sont que des mots et qu'il est trop tard, mais je suis vraiment désolé. Quand je me remémore cette nuit, je n'arrive toujours pas à croire à ce que j'ai fait.

Je veux te demander une faveur. Je sais que je n'en ai pas le droit mais je te demande quand même. Tu m'écriras quand je serai derrière les barreaux ? Je te donnerai mon adresse après le jugement. Si tu choisis de m'ignorer, je comprendrai. Mais j'espère que tu auras pitié de moi. Je n'ai plus personne dans ma vie maintenant. N'est-ce pas ironique ? J'avais peur de perdre mes amis et ma famille en révélant que je suis homosexuel alors je n'ai rien dit et je les ai perdus quand même.

Il paraît que tu n'es pas encore retourné au lycée. Est-ce que c'est parce que, comme moi, tu te sens mort à l'intérieur ? Est-ce que c'est parce que la vie ne te semble plus valoir le coup d'être vécue ? Tu m'as dit un jour que nous étions très semblables et je ne t'ai pas cru à l'époque. Mais tu avais raison. Une fois de plus. Je suppose que c'est pour ça que je sais comment tu dois te sentir. Trahi. Je t'ai dit des choses que je n'avais jamais dites à personne. Jamais. Nous étions proches, toi et moi. Je t'ai juré que je tenais à toi et c'était vrai (c'est toujours vrai), ce qui ne m'a pas empêché de te faire du mal. Maintenant, tu penses que le monde est plein d'hypocrites et de menteurs

comme moi, alors à quoi bon continuer ? Je n'ai pas de
réponses à cette question. Sache seulement qu'il ne se passe pas
une seconde sans que je regrette profondément ce que j'ai fait.

J'espère que tu me répondras. Tu es ma dernière chance de
me sentir à nouveau humain. Mais si tu ne veux pas ou ne peux
pas, je comprendrai.

Prends soin de toi.

Ton ami,

Joshua

Je me suis assis sur le lit d'Adam et j'ai lu la lettre une deuxième fois. Adam m'avait dit avoir jeté la lettre. Je savais que Josh était en liberté sous caution. Je n'étais au courant de rien d'autre. La police avait appelé Papa pour lui annoncer que bien que les charges contre Josh fussent sérieuses, la remise en liberté avait été acceptée parce qu'il s'était rendu. Si ça n'avait pas été le cas, il aurait attendu son procès en prison.

J'ai relu la lettre mais j'étais de plus en plus perdu. Était-ce la raison pour laquelle Adam avait pris ces pilules après tout ce temps ? Josh avait-il raison quand il décrivait les sentiments d'Adam ? La lettre avait-elle rouvert des plaies ou avait-elle simplement confirmé à Adam qu'il n'était pas guéri ? J'ai replié la feuille et l'ai replacée à contrecœur sous l'oreiller de mon frère.

– Papa ? Papa ?

Ma fille m'appelait.

Je suis descendu, l'ai libérée de sa chaise haute et l'ai gardée contre moi jusqu'à ce qu'elle s'agite pour que je la repose. Je l'ai emmenée dans le salon où elle pouvait s'occuper avec ses jouets. Je suis resté appuyé contre l'encadrement de la porte à la regarder.

Tante Jackie a tenu parole. Moins de vingt minutes après avoir raccroché, elle sonnait à la porte. Elle m'a serré dans ses bras.

– Comment vas-tu ? a-t-elle demandé.

– Mieux.

– Où est Emma ?

– Elle dessine dans le salon.

Tante Jackie a pris mon menton dans sa main et a scruté mon visage.

– Je suis fière de toi.

– Pour quoi ? Pour avoir pété un câble et avoir eu envie de frapper ma fille ? Pour n'être pas mieux que Mélanie ?

Quelle blague ! Mais ma tante a souri.

– Tu n'as pas frappé ta fille. Penser et faire sont deux choses différentes. Ne l'oublie pas. Tu t'es éloigné et tu t'es donné une chance de te calmer.

– Mais je l'ai presque...

– Tout le monde se fiche des « presque », Dante. Si les « presque » comptaient, toute la population adulte, hormis peut-être une ou deux bonnes sœurs, serait en prison. Ne sois pas aussi sévère avec toi-même. Et je vais te dire pour quelle autre raison je suis fière de toi : parce que tu as demandé de l'aide.

Devant mon regard perplexe, ma tante a précisé :

– C'est un truc d'homme. La plupart d'entre vous ont beaucoup de mal à demander de l'aide. Vous considérez que c'est un signe de faiblesse, que les gens vont vous juger et estimer – que Dieu vous en garde ! – que vous n'êtes pas capables de vous en sortir tout seuls.

J'ai ouvert la bouche pour protester mais je l'ai refermée. Ce n'était pas vrai... enfin, pas tout à fait.

– Adam a beau crier sur tous les toits qu'il faut être en harmonie avec soi-même et en phase avec ses sentiments, il n'est pas différent, a soupiré ma tante. Durant tous ces mois, seul dans sa chambre, il était trop « mâle » pour demander de l'aide, pour révéler à quel point il avait peur et à quel point il se sentait seul.

– Je ne le laisserai plus comme ça ! ai-je affirmé avec détermination.

Si ce n'était pas déjà trop tard…

Non, ce n'était pas trop tard. Je le sentais en moi… comme je le sentirais si je perdais Emma. Éventualité à laquelle je refusais de penser.

– Adam ne restera plus seul dans sa chambre. C'est fini, ça ! ai-je renchéri.

– Ah oui ?

– Oui ! J'aime trop mon frère pour le laisser gâcher sa vie.

– Tu le lui as dit ? a demandé ma tante.

– Eh bien… pas exactement de cette façon mais il sait que je l'aime.

Tante Jackie a haussé les sourcils.

– Comme tu sais que ton père t'aime, mais je suis sûre que ça ne te gênerait pas de l'entendre te le dire.

Elle m'a adressé un coup d'œil plein de sous-entendus et m'a laissé réfléchir un moment. C'était le problème avec tante Jackie. Elle était super agaçante, surtout quand elle avait raison. Je suppose que, comme mon père, j'avais du mal à prononcer certains mots. Nous avions décidément beaucoup en commun tous les deux.

– Ton père t'a-t-il téléphoné ? a voulu savoir tante Jackie.

– Pas encore.

– Papa ? m'a appelé Emma.

– J'arrive, ma chérie.

– Où est ma petite puce ? a chantonné tante Jackie en me poussant pour aller voir ma fille.

« Fuis, Emma, ai-je tenté de lui crier par télépathie. Ou au moins, prépare-toi. Tante Jackie arrive. »

Les mots de ma tante résonnaient dans ma tête.

C'est un truc d'homme. La plupart d'entre vous ont beaucoup de mal à demander de l'aide.

J'ai soudain réalisé que je n'étais pas le seul garçon à devenir père à dix-huit ans et que je ne serai sûrement pas le dernier. Mais il n'y avait pas des masses d'infos sur le sujet pour nous permettre d'affronter la situation. Peut-être que… peut-être que je pourrais changer ça. J'ai mis l'idée dans un coin de ma tête.

À cet instant précis, j'avais des problèmes plus urgents à régler.

48. Dante

Papa n'est pas rentré avant le soir et, Dieu merci, il n'était pas seul. Adam l'accompagnait. À vrai dire, j'étais surpris de le voir de retour aussi tôt. Je pensais qu'ils l'auraient gardé au moins une nuit à l'hôpital, mais je suppose qu'ils avaient besoin de lits. J'ai observé Adam ; il n'avait pas l'air différent. Contrairement à Papa qui semblait avoir pris dix ans.

Je viens encore de prendre dix ans... comme il disait souvent.

Mais cette fois, ce n'était pas drôle. Je me suis rappelé la fois où Emma avait failli tomber dans l'escalier, quand elle s'était écrasé les doigts avec le couvercle des toilettes, quand elle était tombée du toboggan au parc...

Je viens encore de prendre dix ans.

Je me suis demandé si les gens seraient immortels s'ils n'avaient pas d'enfants.

– Salut Adam, ai-je lancé à mon frère.

– Salut Dante, a-t-il répondu faiblement.

– Adam, mon chéri. Comment vas-tu ? a demandé tante Jackie en sortant du salon avec Emma dans les bras.

– Ça va, a-t-il répondu avant de monter directement dans sa chambre.

Je me suis tourné vers mon père.

– Comment ça s'est passé à l'hôpital ?

– Ils lui ont fait un lavage d'estomac et lui ont donné un genre de charbon pour empêcher son sang de continuer à absorber les somnifères. Heureusement, il n'avait pris les cachets que le matin. S'il les avait avalés la veille au soir et s'il s'était étouffé...

Il n'avait pas besoin d'ajouter quoi que ce soit. Il a levé les yeux vers le palier comme s'il ne savait plus du tout quoi faire maintenant.

– Je vais lui parler, ai-je déclaré.

– Non, m'a retenu Papa. Je devrais…

– S'il te plaît, ai-je insisté.

Papa a soupiré.

– D'accord. Dieu sait que j'ai tout essayé mais c'est comme s'il ne m'entendait pas.

Je suis monté. J'ai frappé une fois et je suis entré. Adam était sur sa chaise et regardait dans le jardin.

– Adam.

– Je ne me rappelle pas t'avoir invité à entrer, a-t-il répliqué sans même se retourner vers moi.

Je me suis assis sur le lit.

– Comment te sens-tu ?

– J'ai mal à la gorge et je ne suis pas d'humeur pour un nouveau sermon.

– Je n'ai pas l'intention de te sermonner.

– Tant mieux parce que j'ai envie d'être seul.

Non. Plus maintenant.

– J'ai lu la lettre de Josh, ai-je lâché.

Adam s'est raidi.

– Tu n'avais pas le droit.

– Toi non plus.

Et nous savions tous deux que je ne faisais pas allusion à la lettre.

– Dis-moi quelque chose, Adam, ai-je poursuivi, est-ce que cette lettre a un rapport avec… ce que tu as fait ?

Adam s'est enfin tourné vers moi.

– Dante, je ne peux plus vivre comme ça, a-t-il murmuré. Regarde-moi. Regarde mon visage.

– Tu es beaucoup plus que ton fichu visage ! Tu n'es pas que ton apparence ! ai-je crié. C'est pour ça que tu as fait ça ! À cause de tes cicatrices ?

– Non.

– Pourquoi alors ?

– Parce que Josh a raison. À quoi ça sert de continuer ? Quand tu y réfléchis vraiment, à quoi ça sert ?

J'ai fixé mes genoux, essayant de trouver les bons mots.

– Tu as une famille et des amis qui t'aiment. Et le monde t'attend. Tu as une vie à te fabriquer. Voilà à quoi ça sert.

– Mais le monde est plein de gens comme Josh. Des gens qui détestent les autres – et eux-mêmes – parce que c'est un trop grand effort pour eux de faire autrement, a soupiré Adam.

– Et en quoi c'est ton problème, les gens comme ça ?

– Regarde mon visage, Dante. Les gens comme ça sont mon problème.

Et j'ai regardé. J'ai serré les poings et regardé en détail. J'ai serré la mâchoire et regardé en détail. J'ai plissé les paupières mais j'ai continué de regarder. La colère, comme un oiseau en cage, a voleté dans ma poitrine. Colère contre Josh et Logan et Paul. Colère contre le monde entier. Contre moi-même.

– C'est pour ça que tu n'as pas le droit de les laisser gagner, Adam, ai-je fini par articuler. C'est pour ça que tu dois continuer à te battre, que tu dois te relever quand ils te mettent au sol. Mais toi, tu préfères abandonner.

– Je suis fatigué, Dante.

– Moi aussi. Tu crois que c'est comme ça que j'imaginais mes dix-huit ans ? Tu crois que c'est ce que je voulais ? Mais je n'abandonne pas.

– Parce que tu as quelqu'un pour qui te battre. Emma.

– Toi aussi.

– C'est pas pareil. Et j'ai tellement peur, Dante.

– Tout le monde a peur, Adam. Si ces derniers mois m'ont appris quelque chose, c'est bien ça.

– Mais toi, tu n'as pas peur, s'est exclamé Adam. Tu es comme Papa. Vous prenez la vie comme elle vient, quoi qu'elle vous jette au visage.

J'ai émis un rire rauque.

– Tu rigoles, là ?

– De quoi tu as peur ? m'a demandé Adam, surpris.

– Si je commence la liste, on sera encore là demain matin. J'ai peur d'être père. J'ai peur de ne pas être capable de gagner assez d'argent pour faire vivre ma fille correctement. J'ai peur d'être un mauvais père. J'ai peur de ne jamais rencontrer de fille qui accepte ma fille. J'ai peur de ne jamais réaliser mes rêves si je les mets en attente. Mais surtout, j'ai peur de ce qui arrivera si Mélanie revient et veut récupérer Emma. Je fais ce cauchemar presque toutes les nuits et je me réveille en sueur.

Adam s'est levé et est venu s'asseoir près de moi.

– Tu ne la laisseras pas faire. Tu lui feras un procès s'il le faut !

J'ai soupiré.

– Mélanie est la mère d'Emma.

– Oui, mais elle l'a abandonnée et tu es un père génial !

– Tu crois ? J'ai failli… j'étais à ça de…

J'ai rapproché mon index et mon pouce pour montrer à Adam.

– À ça de la frapper ce matin.

Adam m'a fixé, choqué.

– Tu ne l'as pas fait ?

– Non. Je me suis éloigné d'elle. Mais voilà une autre raison d'avoir peur. J'ai peur de devenir ce genre de gros con qui frappe ses enfants.

Nous sommes restés silencieux un moment.

– Tu sais de quoi d'autre j'ai peur ? ai-je demandé.

– De quoi ?

– De te perdre.

Adam a détourné le regard. Ses mains étaient croisées sur ses genoux.

– Ne fais plus jamais ça, ai-je continué d'une voix douce. Qu'est-ce qui t'a pris ?

– J'étais jaloux.

– Quoi ?

– Emma est venue dans ma chambre et m'a fait un câlin et puis, vous êtes partis et je me suis de nouveau retrouvé seul. Je ne t'avais jamais envié auparavant, Dante, mais quand tu es sorti avec Emma, j'ai été jaloux de toi.

Pause.

– Adam, moi, j'ai été jaloux de toi ma vie entière, ai-je avoué.

– Ah bon ? Pourquoi ?

– Parce que tu es un optimiste invétéré. Mon verre à moi est toujours à moitié vide. Le tien est toujours à moitié plein. Et tu as toujours su voir ce qu'il y a de meilleur dans les gens. Je ne veux pas que tu perdes ça.

– Peut-être que je l'ai déjà perdu, a murmuré Adam.

– Je ne crois pas, ai-je protesté. Je n'y crois pas une seconde. D'après tante Jackie, ai-je ajouté en souriant, ton problème c'est d'être trop masculin. Tu crois que tu ne peux pas demander d'aide et que tu dois traverser cette épreuve tout seul.

– C'est ce que je ressens, a admis Adam.

– Tu n'es pas seul. Tu ne le sais pas ?

Les larmes me montaient soudain aux yeux.

– Pourtant nous laisser seuls, Papa, Emma et moi, c'est ce que tu as voulu faire. Nous avons déjà perdu Maman. Il n'y a pas un jour où je ne pense pas à elle. Mais toi, tu l'as oubliée.

– T'as pas le droit de dire ça, s'est rebiffé mon frère. Je pense à elle tous les jours. Elle me manque à chaque seconde. Toi et Papa avez toujours cru que j'étais trop jeune au moment de sa mort mais la perdre a été comme si on m'avait fait un trou dans le cœur.

– Alors comment as-tu osé ?

– Quoi ?

– Tu te rappelles la douleur qu'a provoquée la perte de Maman mais ça ne t'a pas empêché de vouloir nous faire mal encore à Papa et moi. Tu voulais nous abandonner.

– Je suis désolé, a-t-il chuchoté sans quitter ses mains des yeux.

– Regarde-moi, Adam.

J'ai attendu qu'il lève la tête vers moi.

– Tu es mon frère, Adam, et je t'aime. Très fort. Je ne veux pas te perdre. Je ne le supporterai pas.

Adam a cligné des yeux, bouche bée. C'était comme s'il me voyait pour la première fois de sa vie.

– C'est si important que ça pour toi ? a-t-il bégayé. Je suis si important que ça pour toi ?

– Bien sûr que oui, espèce de crétin !

– Tu ferais mieux de baisser la voix si tu ne veux pas que Papa se précipite ici en pensant qu'il y a un problème, m'a prévenu Adam, un léger sourire aux lèvres. Et pas de gros mots !

– Ce n'est pas drôle, Adam.

– Je sais. Je suis désolé. Je ne le ferai plus.

– Promets-le-moi.

– Je te le promets. Tu ne me perdras pas.

Il a approché sa main de mon visage. Il a caressé ma joue. Quand il a repris sa main, ses doigts étaient mouillés. Je n'ai pas immédiatement compris pourquoi.

– On ne t'a jamais dit que les garçons ne pleurent pas ? a dit Adam.

– J'ai récemment découvert quelque chose, ai-je reparti sans chercher à arrêter les larmes qui roulaient sur mes joues. Les garçons ne pleurent pas, mais les hommes oui.

Mon frère et moi nous sommes serrés dans les bras l'un de l'autre. C'était un geste spontané et partagé et c'était bon.

– Je vais descendre aider Papa à préparer le dîner, ai-je soupiré. Ça va aller ?

Adam a acquiescé.

– Tu vas descendre manger avec nous ?

– Je… peut-être demain.

– Demain sûr, d'accord ?

– D'accord, a opiné mon frère.

– Je t'apporte un plateau.

– Merci.

Je me suis dirigé vers la porte mais j'étais réticent à quitter la pièce.

– Adam, je…

– Je ne vais pas le refaire, Dante. J'ai promis. Fais-moi confiance.

– Je te fais confiance.

J'ai remarqué le miroir de la salle de bains, toujours appuyé contre le mur.

– Je vais récupérer ça.

– Non, laisse-le.

Après un moment, je suis sorti et j'ai doucement fermé la porte derrière moi.

49. Adam

Au moment où la porte s'est refermée, j'ai pris la lettre de Josh sous mon oreiller. Je n'avais pas menti à Dante en lui disant que je l'avais jetée. Je l'avais mise à la poubelle sans la lire dès que j'avais compris de qui elle venait. Mais après une minute ou deux, j'étais allé la rechercher. Je l'avais lue et relue, espérant que les mots finiraient par cesser de me faire mal.

Mais ils n'avaient jamais cessé.

Mon intention première était de la relire, mais maintenant que je l'avais dans les mains, je n'avais plus envie de la déplier. Je ne voulais plus la lire mais je n'étais pas non plus capable de la jeter. Pas tout de suite du moins. J'ai fini par la glisser dans un tiroir de ma commode, sous une pile de pulls que je n'avais pas portés depuis des années. Cette lettre avait rallumé tant de souvenirs et de sensations dont je pensais m'être débarrassé.

Trop.

Après la venue du médecin, j'avais commencé par prendre les somnifères que Papa me donnait chaque soir, mais rapidement, j'ai estimé que je n'en avais plus besoin. Et je n'ai jamais aimé prendre des cachets, alors je les ai gardés dans un mouchoir en papier. Mais la lettre de Josh et la visite d'Emma m'ont à nouveau mis K.O. même si je ne leur en impute pas la faute. Surtout pas à Emma.

Elle était si mignonne. Quand elle m'a serrée dans ses bras, je me suis rendu compte que personne ne m'avait câliné depuis des mois. Ce n'était que ma faute mais je me suis soudain senti affreusement seul. Comme si j'avais été enterré vivant et que la solitude m'étouffait. Mes amis me manquaient. Le lycée me manquait. Ma vie me manquait. Le monde était là, à portée de main, et je n'en faisais plus partie. Ma mère me manquait aussi. Plus que jamais. Ses câlins me manquaient, ses baisers, sa tendresse. Quand je me faisais mal, elle me gardait contre elle jusqu'à ce que j'aille mieux. Mais elle est morte. Et plus personne ne m'a pris dans ses bras.

J'étais resté allongé toute la nuit à me dire que tout le monde serait mieux sans moi. À me dire que la douleur et la solitude pouvaient s'arrêter. Et ce matin, tôt, je m'étais rappelé les cachets...

C'était stupide de ma part.

Stupide, stupide, stupide.

Je l'ai compris alors que le sommeil me prenait. Des larmes de regret se sont échappées de mes paupières. J'étais étendu sur mon lit, la tête sur l'oreiller, les yeux clos et j'avais repensé à tout ce que j'avais eu et à tout ce que je n'aurais jamais. J'ai cru que tout était fini.

Mais j'étais toujours là.

Je n'étais pas sûr que Dante croie en ma promesse, mais moi, je savais que je ne recommencerai jamais. Je ne partirai nulle part.

J'ai regardé ma chambre. Les murs crème qui m'avaient abrité ces derniers mois me donnaient maintenant des accès de claustrophobie. Je me suis levé et me suis dirigé vers le miroir. Je l'ai pris. Ma paupière droite pendait toujours et ma joue droite avait encore quelques cicatrices visibles, mais seulement quelques-unes.

Bon sang ! J'étais toujours là !

J'ai ouvert ma porte et je suis descendu. J'ai entendu des voix dans la cuisine. Tante Jackie parlait plus fort que les autres comme d'habitude. Emma riait. J'aimais l'entendre rire.

Ça m'avait aussi manqué ces derniers mois. J'ai pris une grande inspiration et je suis entré.

– Coucou, ai-je lancé. Je peux me joindre à vous ?

50. Dante

Bon sang ! Je ne m'attendais tellement pas à entendre la voix d'Adam que j'ai sursauté. Je l'ai contemplé comme si c'était un fantôme. Et je n'ai pas été le seul. Emma a repris contenance la première.

– Onquie ! a-t-elle crié en se dandinant vers lui, les bras tendus.

Adam l'a prise dans ses bras en souriant.

– Coucou, ma nièce préférée ! Tu ne trouves pas qu'ils ressemblent tous à des poissons rouges ?

J'ai refermé la bouche.

– Sale petit inso…

– Papa ! ai-je crié. Il y a de jeunes oreilles dans la pièce.

Papa a pris un air contrit mais ça n'a pas duré longtemps. Il s'est dirigé vers Adam alors que celui-ci reposait Emma par terre.

– Comment tu te sens, fils ?

– Mal partout, a répondu Adam.

Papa et lui ont échangé un regard.

– Adam, a soudain dit Papa, je veux que tu saches que si tu as besoin de quelqu'un à qui parler, quelqu'un capable de t'écouter sans te juger, quelqu'un qui te soutiendra toujours, tu peux compter sur moi.

– Oui, Papa, a souri Adam.

Et tout à coup, comme ça, Papa a serré Adam dans ses bras. Il n'a pas fallu plus de deux secondes à Adam pour répondre à l'étreinte. Un silence étrange est descendu sur la cuisine. Mes yeux ont commencé à se mouiller… Oh, bon sang ! J'ai toussé afin d'avoir une excuse pour cacher un peu mon visage avec mes mains. Papa a lâché Adam et nous sommes tous restés plantés comme des idiots sans bien savoir quoi faire.

– À moi, à moi ! a exigé Emma en tendant les mains vers Adam.

Nous avons tous éclaté de rire. Je l'aurais embrassée avec plaisir ! Adam l'a reprise dans ses bras.

– Mon chéri ! a dit tante Jackie, tu arrives juste à temps pour le dîner.

– Et qu'est-ce qu'on mange ? s'est renseigné Adam.

– Saucisses, purée et petits pois.

– Je ne suis pas sûr que ma gorge supporte les saucisses mais la purée sera la bienvenue.

J'ai sorti les couverts et tante Jackie s'est occupée des assiettes. Papa a ajouté du beurre et du lait aux pommes de terre et a continué à les mouliner comme s'il s'agissait d'ennemis à abattre. Seize saucisses cuites au four attendaient dans le plat. Adam faisait tourner Emma ou la soulevait au-dessus de sa tête.

– Je ne ferais pas ça si j'étais toi, l'ai-je prévenu. Elle vient juste de boire un jus de raisin.

– T'inquiète, a commencé Adam, elle ne va p…

Emma a vomi sur le T-shirt d'Adam.

Pour la troisième fois en cinq minutes, le silence s'est fait. Je l'ai brisé le premier en hurlant de rire, bientôt rejoint par tante Jackie.

– C'est pas vrai ! a lancé Papa avant de rire lui aussi.

Emma a éclaté en sanglots. Je l'ai prise des mains d'Adam qui n'a pas essayé de la retenir.

– Je t'avais prévenu, lui ai-je rappelé avant de me pencher vers ma fille. C'est pas grave, Emma. Tu n'as pas besoin de pleurer.

Adam m'a fusillé du regard.

– C'est pas marrant !

Et puis, il a fait une chose que je ne l'avais pas vu faire depuis longtemps : il s'est mis à rire. Mon frère, si soigneux et maniaque avec ses vêtements, riait alors que son T-shirt était taché ! Il a secoué la tête avant de sortir.

– Fais attention que ça ne coule pas sur la moquette, lui a crié Papa en mettant le repas au four pour qu'il reste chaud.

Dix minutes plus tard, Adam était de retour. Il avait pris une douche et changé de vêtements. Nous nous sommes assis à table. J'ai pointé mon couteau vers mon frère.

– Qui êtes-vous et qu'avez-vous fait de mon frère ?

Adam a haussé les sourcils.

– Quoi ?

– Tu as passé moins de dix minutes dans la douche. Tu n'es pas Adam.

Pause.

– Va te faire voir, Dante, a répondu mon frère avec beaucoup d'esprit.

– Bon sang, Adam ! Arrête de jurer, a grogné Papa.

– Tyler, Tyler, a soupiré ma tante.

Et nous avons une nouvelle fois éclaté de rire. Emma a commencé à babiller à l'adresse d'Adam. Papa et tante Jackie se sont souri et se sont remémoré les réflexions que ma mère faisait à mon père quand il jurait. J'ai posé mes couverts et je les ai tous regardés.

À cet instant précis, j'étais heureux. Et à cet instant précis, je crois que tout le monde dans la cuisine était heureux. Avant l'arrivée d'Emma, nous ne faisions que partager la même maison. À présent, nous vivions ensemble. On n'avait répondu à aucune des questions essentielles, on n'avait pas eu non plus de révélations, rien n'avait été résolu. Mais nous étions une famille.

Et pour le moment, rien n'était plus important.

Achevé d'imprimer en Italie par Canale
Dépôt légal : 4ᵉ trimestre 2011